AF273114

© Assimil 2014
ISBN 978-2-7005-0621-1
ISSN 2266-1158

Création graphique : Atwazart

Brésilien

Naiana Bueno

B.P. 25
94431 Chennevières sur Marne cedex
France

Cet ouvrage ne prétend pas remplacer un cours de langue, mais si vous investissez un peu de temps dans sa lecture et apprenez quelques phrases, vous pourrez très vite communiquer. Tout sera alors différent, vous vivrez une expérience nouvelle.

Un conseil : ne cherchez pas la perfection ! Vos interlocuteurs vous pardonneront volontiers les petites fautes que vous pourriez commettre au début. **Le plus important, c'est d'abandonner vos complexes et d'oser parler.**

Partie I

INTRODUCTION 9

Partie II

INITIATION AU BRÉSILIEN 15

Partie III

CONVERSATION 59

Introduction

↗ **Comment utiliser ce guide**

La partie "Initiation"

Vous disposez d'une petite demi-heure quotidienne ? Vous avez trois semaines devant vous ? Alors commencez par la partie "Initiation", 21 mini-leçons qui vous donnent sans complications inutiles les bases du brésilien, celui dont vous aurez besoin pour comprendre vos interlocuteurs et vous adresser à eux :
– découvrez la leçon du jour en vous aidant de la transcription phonétique fournie sous chaque phrase. Parfois, une traduction mot à mot vous est donnée entre guillemets lorsqu'elle éclaire la structure de la langue ;
– lisez ensuite les brèves explications grammaticales : elles vous exposent quelques mécanismes linguistiques que vous pourrez réutiliser avec facilité ;
– faites le petit exercice final, vérifiez que vous avez tout juste… et dès le lendemain, passez à la leçon suivante ! La régularité de votre apprentissage conditionne l'efficacité de notre méthodologie.

La partie "Conversation"

Pour être à l'aise dans toutes les situations courantes auxquelles vous serez confronté durant votre voyage, la partie "Conversation" de ce guide vous propose une batterie complète d'outils : du vocabulaire, bien sûr, mais aussi des structures de phrases variées que vous pourrez réutiliser en contexte. Vous le verrez, tous les mots sont accompagnés de leur traduction et d'une transcription figurée simple qui vous aidera à bien les prononcer. Même si vous n'avez aucune connaissance préalable du brésilien, ce "kit de survie" prêt à l'emploi fera de vous un voyageur autonome.

↗ Le Brésil, faits et chiffres

Superficie	8 500 000 km²
Population	192 000 000 habitants
Capitale	Brasília
Frontière maritime	Océan Atlantique
Frontières terrestres	Argentine, Colombie, Bolivie, Guyane française, Guyana, Paraguay, Pérou, Suriname, Uruguay, Venezuela
Langue officielle	Portugais
Monnaie	Réal brésilien
Régime politique	République fédérale présidentielle divisée en 27 Unités de Fédération : 26 États plus la capitale fédérale
Fêtes nationales	Les trois fêtes les plus importantes sont la Fête de l'Indépendance, le 7 septembre, la Proclamation de la République, le 15 novembre, et le Carnaval (47 jours avant Pâques).
Religions	Les catholiques sont très majoritaires : 79 %. Protestants : 15%, spirites : 1% ; afro-brésiliens : 1%

↗ Données historiques

Avec 192 millions d'habitants, le Brésil est le cinquième pays le plus peuplé au monde. À l'origine, sa population était composée de différentes tribus d'Indiens totalisant environ 5 millions de personnes réparties sur le territoire. Elles vivaient de la chasse, de la pêche et de l'agriculture (maïs, haricots et manioc principalement). Chaque tribu avait ses propres mœurs et codes sociaux. Elles se rencontraient lors de mariages, de guerres ou à l'occasion de certaines cérémonies. Les deux personnages les plus influents étaient le "Pajé", un chaman, et le "Cacique", le chef chargé de l'organisation et de la prise de décision. Le XVIe siècle, avec la colonisation, voit arriver deux autres groupes ethniques : Européens et populations d'Afrique noire. En a résulté un métissage si profond qu'il a marqué le pays dans ses caractéristiques démographiques et culturelles.

1500 et la colonisation

Les premiers Portugais, guidés par Pedro Álvares Cabral, arrivent en 1500 dans le sud de l'actuel État de Bahia. Ils nomment cette nouvelle terre *Terra de Vera Cruz*, puis, en 1503, ils la rebaptisent *Brasil*, du fait de la quantité d'arbres nommés *Pau Brasil* qui s'y épanouissent. Le contact avec les autochtones crée non seulement un choc culturel, mais il entraîne également une forte diminution de la population indienne qui succombe aux maladies véhiculées par les colons.

À la présence portugaise, s'ajoute pour la population native celle des Espagnols et des Français qui se servent des Indiens comme main d'œuvre. Les populations indiennes fournissent ainsi la première ressource de travail esclave, ce qui provoque des conflits entre tribus et une perte d'identité à plusieurs niveaux. Quelques années plus tard, voyant que les Indiens supportent mal la charge de travail exigée, les colons acheminent au Brésil des esclaves venus d'Afrique. Entre 1781 et 1855, environ 2 millions d'esclaves africains arrivent ainsi au Brésil.

XIXe et XXe siècles

Au cours de ces deux siècles, Allemands, Italiens, Arabes, Espagnols et Japonais arrivent au Brésil pour échapper aux problèmes économiques, aux guerres et aux persécutions ethniques et politiques dans leur pays. Entre 1880 et 1890, plus d'un million d'étrangers débarquent au Brésil. Au XXe siècle, c'est entre 1920 et 1929, puis entre 1950 et 1959 qu'ont lieu les grandes vagues migratoires.

Avant 1822, le Brésil vit sous le régime de la monarchie constitutionnelle, à la tête de laquelle se trouve le roi du Portugal. Cette année-là, il devient indépendant politiquement du Portugal et en 1889, la République est instaurée.

Mais c'est seulement en 1985 que le Brésil devient un pays démocratique avec la fin de la dictature militaire, la mise en place d'élections directes et l'écriture d'une nouvelle constitution, en 1988.

Le Brésil aujourd'hui

Les traits de la colonisation et de la migration sont facilement perceptibles dans les différentes régions du pays : la plus grande concentration de Noirs se trouve dans le Nord et le Nord-Est du Brésil, plus spécialement dans l'État de Bahia, connu pour sa musique, la capoeira, et sa religion, issues des cultures populaires africaines. C'est en Amazonie que l'on rencontre le plus d'Indiens et, dans le Sud et le Sud-Est du Brésil cohabitent plusieurs groupes d'origine allemande, polonaise, ukrainienne, italienne, japonaise et portugaise. Cet ensemble hétérogène marque le paysage linguistique et culturel actuel du Brésil qui, malgré son histoire vieille d'à peine plus de 500 ans, possède une identité propre, riche et diverse.

⬈ La langue brésilienne

Le portugais est la huitième langue la plus parlée au monde. Elle compte environ 240 millions de locuteurs et elle est adoptée officiellement dans huit pays. Au XVIe siècle, époque où elle a été introduite au Brésil, le pays comptait alors 1 300 langues différentes. L'établissement du portugais comme langue officielle a été un long processus qui a duré plus de deux siècles. Cela a impliqué un échange régulier entre les Européens et les Indiens : d'un côté, les Portugais qui ont enseigné la langue portugaise aux Indiens, et de l'autre, les Indiens qui ont enseigné aux Européens la langue tupi-guarani (en particulier le tupinambá, un dialecte tupi). Ainsi, un grand nombre de villes et rivières portent un nom issu des dialectes tupi, comme par exemple **Piracicaba** (*pira* signifie *poisson*), **Apiaí**, *rivière des hommes*, et **Ituberaba** (*Itu* signifie *chute d'eau* et **beraba**, *transparent*).

Le portugais parlé au Brésil varie selon la région et la localité, comme en témoignent les différents accents dus à l'influence des langues des peuples qui y ont immigré (néerlandais, français, espagnol, arabe, italien, etc.). Dans ce guide nous donnons la priorité à l'accent et au vocabulaire de São Paulo, qui sont assez répandus.

Bien que la langue officielle soit le portugais, elle n'est pas la seule langue du pays : les chercheurs estiment qu'il existe encore au moins 180 langues indigènes au Brésil. Sans parler des langues parlées par les minorités ethniques, comme les langues créoles. Dans cette perspective, le Brésil peut être considéré comme un pays multilingue où vous ne se sentirez certainement pas perdu : les Brésiliens vous mettront très vite à l'aise si vous ne comprenez pas quelque chose ou si vous avez besoin d'un renseignement. Ils seront au contraire ravis de pouvoir raconter et expliquer ce pays magnifique dont la diversité va au-delà des simples contrastes.

↗ L'alphabet

L'alphabet portugais du Brésil comprend 26 lettres, dont 3 sont utilisées seulement dans des cas particuliers : **k**, **y**, **w**. Ces lettres n'apparaissent que dans la transcription de mots en langue étrangère qui ont été incorporés à la langue portugaise.

a *[a]*, **b** *[bé]*, **c** *[ssé]*, **d** *[dé]*, **e** *[è]*, **f** *[èf]*, **g** *[g]*, **h** *[agà]*, **i** *[i]*, **j** *[jòta]*, **k** *[ka]*, **l** *[èli]*, **m** *[émi]*, **n** *[éni]*, **o** *[ò]*, **p** *[pé]*, **q** *[ké]*, **r** *[èri]*, **s** *[èssi]*, **t** *[té]*, **u** *[ou]*, **v** *[vé]*, **w** *[**da**bilhou]*, **x** *[chiss]*, **y** *[**ip**ssoulon]*, **z** *[zé]*.

Initiation

↗ 1er jour

O encontro
La rencontre

1   Oi, tudo bem?
   oï, ***tou****dou bén*
   Salut, ça va bien ?

2   Tudo bem obrigada/obrigado! E você?
   tou*dou bén obri****ga****da/obri****ga****dou !* ı *vo****ssé***
   Ça va bien, merci ! Et toi ?

3   Eu também vou bem!
   *éou tain****bén vo****ou bén*
   Ça va bien aussi !

Notes de Grammaire

Prononciation : la prononciation de **bem**, *bien*, est très utile pour l'apprentissage des sons nasaux. **bom**, *bon*, se prononce comme *[bon]*, en français. Changez le **o** par **e** et recommencez : **bom**, *bon* ; **bem** */bén/, bien*.

Le pronom *você* (pl. : *vocês*) : il "remplace" *tu* et *vous*, mais n'est pas un pronom de conjugaison et n'a pas valeur de formule de politesse. **Você** est employé dans un sens familier, sans distinction entre les personnes, qu'elles soient proches ou non. Dans le Sud du Brésil et à Rio de Janeiro principalement, on n'emploie quasiment pas **você**, mais **tu**, *tu*. Quant au vouvoiement avec **vós**, il relève de la langue littéraire.

Les pronoms de conjugaison sont : **eu**, *je* ; **tu**, *tu* ; **ele/ela**, *lui/elle* ; **nós**, *nous* ; **vós**, *vous* ; **eles/elas**, *eux/elles*. Après **você**, le verbe se conjugue comme après **ele/ela**, et après **vocês**, comme après **eles/elas**.

"être" : **estar** et **ser** sont deux façons d'exprimer le verbe *être* français. Nous y reviendrons. En portugais comme en français, les verbes se conjuguent en accord avec le sujet : **Eu estou bem**, *Je vais ("suis") bien* ; **Você está bem?**, *Tu/Vous vas/allez bien ?* ; **Ele está bem?**, *Il va bien ?* ; **Vocês estão bem?**, *Vous allez bien ?*

Accord en genre des adjectifs : le masculin se termine généralement en **o** et le féminin en **a**. Ainsi, les femmes disent **obrigada!**, *merci !* (littéralement "obligée !") et les hommes, **obrigado!**, (litt. "obligé !").

Entraînement – Traduisez les phrases suivantes

1. Je vais bien et toi ?
2. Tu vas bien ?
3. Oi, está tudo bem?
4. Obrigada/Obrigado, eu estou bem.

Solutions

1. Eu estou bem e você?
2. Você está bem?
3. Salut, ça va bien ?
4. Merci, je vais bien.

No restaurante
Au restautant

1 **Gostaria de ver o cardápio, por favor.**
gosstaria dji vér ou kardàpiou, por favor
Je souhaiterais voir le menu, s'il vous plaît.

2 **A senhora/O senhor já escolheu?**
a sségnòra/ou sségnor jà ésskoliéou
Avez-vous choisi ?

3 **Sim, eu gostaria de comer um peixe assado.**
ssïn, éou gosstaria dji komér oun péïchi assadou
Oui, je souhaiterais manger du poisson grillé.

4 **A senhora/O senhor deseja uma bebida?**
a sségnòra/ou sségnor dézéja ouma bébida
Désirez-vous une boisson ?

Notes de Grammaire

Formules de politesse : pour vouvoyer, employez **o Senhor** et **a Senhora**, *Monsieur* et *Madame*, envers un inconnu ou une personne plus âgée. Mettez le mot en début de phrase et conjuguez le verbe à la troisième personne du singulier au présent.
Exemple de conjugaison du verbe **desejar**, *désirer*, au présent : **ele/ela deseja**, *il/elle désire* ; **o senhor/a senhora deseja**, *vous désirez*.

Exprimer un désir : gostaria, *souhaiterais/voudrais*, est un verbe au conditionnel qui exprime une demande polie. Pour conjuguer un verbe au conditionnel avec **eu**, **ele/ela** ou encore **o senhor/a senhora**, il suffit d'ajouter le suffixe **ia** à l'infinitif présent du verbe :

verbes à l'infinitif	pronoms sujets	verbes au conditionnel
beber, *boire*	**eu, ele/ela, o senhor/ a senhora**	beberia
amar, *aimer*		amaria
ir, *aller*		iria

Deuxième possibilité pour exprimer un désir : eu gostaria de... + verbe à l'infinitif. Ex : eu gostaria de beber *[éou gosstaria dji bébér]*, *j'aurais aimé boire...* ; **eu gostaria de pedir** *[éou gosstaria dji pedir]*, *j'aurais aimé commander...*

Entraînement – Traduisez les phrases suivantes

1. Vous souhaiteriez manger du poisson ?
2. Vous désirez voir le menu ?
3. A senhora deseja um peixe?
4. Eu gostaria de uma bebida.

Solutions

1. A senhora/O senhor gostaria de comer um peixe?
2. A senhora/O senhor deseja ver o cardápio?
3. Vous voulez du poisson ?
4. Je voudrais une boisson.

De onde você é?
D'où viens-tu ?

1 **Eu sou canadense! Venho de Quebec.**

*éou **sso**u kana**dén**si! **vég**nou dji ké**bek***

Je suis canadien/canadienne ! Je viens du Québec.

2 **Por causa do sotaque achava que você era francês.**

*por kaouza dou sso**ta**ké a**cha**va ké vo**ssé** è**r**a frain**sséis***

Du fait de ton accent, je pensais que tu étais français.

3 **Não. Estou aqui em viagem de trabalho.**

***nain**-on. éss**to**ou aki én vi**a**gén dji tra**ba**liou*

Non. Je suis ici en voyage pour le travail.

Notes de Grammaire

Les verbes *ser* et *estar* : ils expriment tous les deux le verbe *être*. Le verbe **estar** indique la localisation géographique, mais aussi un état passager, tandis que le verbe **ser** indique un état permanent.

ser et **estar** au présent de l'indicatif :

	ser	estar
eu	sou	estou
(você), ele/ela, (a gente), (o senhor/ a senhora)	é	está
(vocês), eles/elas	são	estão

ser et **estar** à l'imparfait :

	ser	estar
eu, (você), ele/ela, (a gente), (o senhor/ a senhora)	era	estava
(vocês), eles/elas	eram	estavam

Entraînement – Traduisez les phrases suivantes

1. Je suis belge.

2. Vous êtes brésiliens ?

3. Eu estou no Brasil.

4. Você é de onde?

Solutions

1. Eu sou belga.

2. Vocês são brasileiros?

3. Je suis au Brésil.

4. D'où es-tu ?

A gente vai sair!
On va sortir !

1 **O que nós vamos fazer agora?**

*ou ké nòss **vain**-mouss fa**zér** a**gò**ra*

Qu'est-ce que nous allons faire maintenant ?

2 **A gente poderia ir para a rua passear.**

*a **gén**tchi podé**ri**a ir **pa**ra a **rou**a passé**ar***

On pourrait aller se promener dans la rue.

3 **E se a gente fosse até o centro da cidade?**

*i ssi a **gén**tchi **fo**ssi a**tè** ou **ssén**trou da ssi**da**dji*

Et si on allait jusqu'au centre-ville ?

4 **Sim, a gente pode ir!**

*ssïn a **gén**tchi **pò**dji ir*

Bien sûr, on peut y aller !

Notes de Grammaire

a gente/nós : **a gente** correspond au pronom *on* français, équivalent familier de "nous". Le *nous* pluriel se dit **nós**. La conjugaison du verbe qui suit est similaire au français : **a gente vai**, *on va* ; **nós vamos**, *nous allons*.

***ir*, aller** : verbe irrégulier permettant de conjuguer le temps futur, il est aussi fréquemment employé dans le cadre du voyage pour exprimer l'endroit d'où l'on vient et celui où l'on va… Voyez sa conjugaison au présent de l'indicatif :

eu vou, *je vais*	**nós vamos**, *nous allons*
tu vais, *tu vas*	**vós ides**, *vous allez*
(você), ele/ela, (a gente), (o senhor/a senhora) vai, *il/elle, on va*	**(vocês), eles/elas vão,** *ils/elles vont*

Futur proche : il se forme comme en français, sujet + verbe **ir** au présent + infinitif du verbe principal. Cela, sauf si le verbe principal est aussi le verbe **ir** ; dans ce cas utilisez le futur simple (leçon 8e jour).

Prépositions : le verbe **ir**, quand il est accompagné d'un complément de lieu, impose l'usage des prépositions **a** ou **para**. Exemple : **a gente vai para casa**, *on va à la maison*.
Le choix de l'usage du **a** ou du **para** dépend de l'intention : **a** suppose que l'on va quelque part pour une période courte ; **para** suppose qu'on y va pour une période longue ou indéfinie.

Entraînement – Traduisez les phrases suivantes

1. On pourrait aller dans la rue Augusta !
2. Nous allons nous promener.
3. Eu vou para casa.
4. A gente vai até a rua.

Solutions

1. A gente poderia ir até a rua Augusta!
2. Nós vamos passear.
3. Je vais à la maison.
4. On va jusqu'à la rue.

Onde fica a praia?
Où se trouve la plage ?

1 Vamos à praia?
vain-*mouss **a pra**ïa*
On va à la plage ?

2 Você tem maiô aí?
*vo**ssé** tén maïo ai*
Tu as un maillot de bain avec toi ("ici") ?

3 Eu tenho maiô! A praia é perto ou longe daqui?
*éou tén**gnou** maïo! a **pra**ïa è **pèr**tou ou **lon**gi da**ki***
[Oui], j'ai un maillot de bain ! La plage est proche ou loin d'ici ?

4 Longe, nós temos de pegar um ônibus...
***lon**gi, nòss **té**mouss dji pé**gar** oun **o**nibouss*
Elle est loin, il faut ("nous devons") prendre le bus...

Notes de Grammaire

Le verbe *ter*, avoir : ter sert à exprimer la possession. Au présent, il se conjugue ainsi : **eu tenho**, *j'ai* ; **ele/ela, você, a gente, o senhor/a senhora tem**, *il/elle, on a* ; **nós temos**, *nous avons* ; **vós tendes**, *vous avez* ; **eles/elas (vocês) têm**, *ils/elles ont*.
Il permet également de formuler des expressions comme **ter fome/sede**, *avoir faim/soif*, ou **ter de...**, *on doit/il faut...*

Contraction : en portugais, certaines prépositions se contractent avec l'article qui les suit. C'est la même chose qu'en français quand on dit "manger *du (= de + le)* chocolat". Dans le cas du verbe **ir** + préposition **a** + compl. d'objet, la contraction se double d'un changement orthographique et l'on ajoute un accent grave sur le **a**.

Attention, on dit : **Eu vou a Vitoria**, mais **Eu vou à Bahia**. Dans le premier cas, il n'y a pas de contraction car l'article n'est pas obligatoire, tandis qu'il l'est dans le second. Rendez-vous en annexe de cette partie pour plus d'informations.

Entraînement – Traduisez les phrases suivantes

1. J'ai un maillot de bain et je veux aller à la plage.
2. Le Canada est loin d'ici.
3. Vamos pegar o ônibus no centro.
4. Onde fica a praia?

Solutions

1. Eu tenho um maiô e eu quero ir à praia.
2. O Canadá é longe daqui.
3. Nous allons prendre le bus au centre-ville.
4. Où se trouve la plage ?

↗ 6ᵉ jour

Onde posso encontrar um orelhão?
Où puis-je trouver une cabine téléphonique ?

1 Preciso de um orelhão, por favor.
préssizou dji oun oréliain-on, por favor
J'ai besoin d'une cabine téléphonique, s'il vous plaît.

2 No fundo do corredor tem um.
nou foundou dou koRédor tén oun
Il y en a une au fond du couloir.

3 Também preciso comprar um cartão telefônico...
taonbén préssizou konprar oun kartain-on téléfonikou
J'ai aussi besoin d'acheter une carte téléphonique...

4 Você pode comprar ali, no caixa.
vossé pòdji konprar alì nou kaïcha
Vous pouvez en acheter une là-bas, à la caisse.

Notes de Grammaire

Locution : pour exprimer la formule "avoir besoin de...", on emploie **precisar de** + substantif ou pronom, mais **precisar** tout seul lorsqu' il est suivi d'un verbe à l'infinitif. Par exemple : **precisar de um cartão telefônico** mais **precisar comprar um cartão telefônico**.

Sujet de la phrase : en portugais, le verbe n'est pas systématiquement précédé par un pronom sujet. Nommé "sujet occulté", ce trait de la langue est très répandu au Brésil. C'est la terminaison du verbe (ici, au présent) qui renseigne sur le sujet :

eu	precis<u>o</u>
(você), ele/ela, (a gente), (o senhor/a senhora)	precis<u>a</u>
nós	precis<u>amos</u>
(vocês), eles/elas	precis<u>am</u>

Curiosité : le mot **orelhão**, littéralement "une grande oreille", est inspiré par la forme des cabines téléphoniques, qui évoque une oreille.

Entraînement – Traduisez les phrases suivantes

1. Il a besoin du menu.
2. Monsieur a besoin de boire.
3. Você precisa passear?
4. Precisamos de um cartão telefônico.

Solutions

1. Ele precisa do cardápio.
2. O senhor precisa beber.
3. Tu as besoin d'aller te promener ?
4. Nous avons besoin d'une carte téléphonique.

↗ 7ᵉ jour

Uma banca de jornais
Le kiosque à journaux

1 Onde eu posso comprar um jornal, por favor?
*on*dji éou **pò**ssou kon**prar** oun jornaou, por fa**vor**
Où puis-je acheter le journal, s'il vous plaît ?

2 Na banca de jornais, ali na esquina.
na **bain**-ka dji jornaïss al**ì na éss**ki*na*
Au kiosque à journaux, au coin là-bas.

3 Será que eu consigo ler em português?
ss**é**r**à** ké éou kon**ssi**gou ler én portu**géss**
Est-ce que j'arriverai à lire en portugais ?

4 Leia um pouco todos os dias e você vai evoluir!
l**é**ï*a* oun **poou**kou **to**douss ouss diass i vo**ssé** vaï évo**lou**ir
Lis un peu tous les jours et tu progresseras !

Notes de Grammaire

Verbes : en portugais, les verbes à l'infinitif se terminent tous par **ar**, **er** ou **ir**. Exemple : **comprar**, *acheter* ; **ler**, *lire* ; **evoluir**, *progresser*.

Voici une petite liste récapitulative des autres verbes que vous avez appris jusqu'à présent : **ser**, *être* ; **estar**, *être* ; **ir**, *aller* ; **ter**, *avoir* ; **ler**, *lire* ; **escolher**, *choisir* ; **gostar**, *aimer* ; **desejar**, *désirer* ; **poder**, *pouvoir* ; **passear**, *se promener* ; **precisar**, *avoir besoin* de ; **comprar**, *acheter*, **pegar**, *prendre*

será que…? Cette formule idiomatique équivaut en français à : *Est-ce que… vraiment… ?*, *Est-ce que c'est certain… ?* L'expression

renforce un doute par rapport à un fait relevant du futur : **Será que vai chover?**, *Est-ce qu'il va vraiment pleuvoir ?*
Mais **será que** peut aussi être utilisée strictement en tant que formule interrogative, comme "est-ce que ?" en français, pour renforcer l'interrogation d'alternative : **Será que eu como um peixe ou uma carne?**, *Est-ce que je mange du poisson ou de la viande ?*

Entraînement – Traduisez les phrases suivantes

1. Vous désirez un journal ?
2. Bonjour, vous avez le journal du jour ?
3. Será que eu posso comprar um jornal?
4. Você precisa ler o jornal!

Solutions

1. A senhora/O senhor deseja um jornal?
2. Bom dia, você tem o jornal do dia?
3. Est-ce que je peux acheter un journal ?
4. Tu as besoin de lire le journal !

Amanhã, eu vou para o Rio de Janeiro!
Demain, je vais à Rio de Janeiro !

1 E para onde você já foi?
*i **pa**ra **on**dji vo**ssé** jà foi*
Où es-tu déjà allé ?

2 Ontem eu estava no Pantanal.
*on**tén** éou es**s**t**a**va nou pain-ta**naou***
Hier, j'étais au Pantanal.

3 E você vai para a Amazônia?
*i vo**ssé** vai **pa**ra a ama**zo**nia*
Est-ce que tu vas [aller] en Amazonie ?

4 Vou tentar ir depois do Rio de Janeiro.
***vo**ou **tén**tar ir dé**poiss** dou riou dji ja**néï**rou*
Je vais essayer d'y aller après Rio de Janeiro.

Notes de Grammaire

Le temps : les adverbes sont essentiels pour exprimer les notions du temps passé ou du temps futur. Les plus courants sont **amanhã**, *demain* ; **ontem**, *hier* ; **depois**, *après* ; **já**, *déjà*. Mais il existe d'autres adverbes ou locutions de temps très utilisés en portugais. En voici une petite liste : **agora**, *maintenant* ; **antes**, *avant* ; **cedo**, *tôt* ; **hoje**, *aujourd'hui* ; **nunca**, *jamais* ; **sempre**, *toujours* ; **tarde**, *tard* ; **às vezes**, *quelques fois* ; **à tarde**, *l'après-midi* ; **à noite**, *la nuit* ; **de manhã**, *le matin* ; **de vez em quando**, *de temps en temps* ; **em breve**, *bientôt*.

Futur simple : pour formuler le futur simple, ajoutez à l'infinitif les terminaisons suivantes : **-ei**, **-á**, **-emos**, **-ão**.

comer, *manger*	
eu comer<u>ei</u>	nós comer<u>emos</u>
ele/ela, (a gente), (você), (o senhor/a senhora) comer<u>á</u>	eles/elas, (vocês) comer<u>ão</u>

Entraînement – Traduisez les phrases suivantes

1. Tu vas à Rio de Janeiro ?

2. Vous mangerez maintenant ?

3. Será que você vai para a Amazônia?

4. Amanhã, a gente vai passear na praia.

Solutions

1. Você vai para o (ao) Rio de Janeiro?

2. Vocês/O senhor/A senhora comerão agora?

3. Est-ce que tu vas vraiment en Amazonie ?

4. Demain, on va se balader sur la plage.

Você sabe dansar?
Tu sais danser ?

1 Você dançou forró?
*vossé **dain**ssou fò**Rò***
Tu as dansé le forró ?

2 Eu dancei, mas meus amigos não dançaram.
*éou dain**sséi**, mass méouss a**mi**gouss **nain**-on dani**ssa**rain*
J'ai dansé, mais mes amis n'ont pas dansé.

3 Eles dançarão amanhã!
*éliss dainssa**rain-on** amain**gna***
Ils danseront demain !

Notes de Grammaire

Futur simple et confusions de prononciation : le futur est exprimé par la terminaison **-ão** à la 3ᵉ personne du pluriel. Mais, à l'oral, il y a un risque de confusion avec la terminaison **–am** du passé. Exemple : **dançarão** *[dainssa**rain-on**], ils danseront* ; **dançaram** *[dain**ssa**rain], ils ont dansé.*

C'est la position de l'accent tonique qui fait la différence entre la prononciation de ces deux formes. En effet, contrairement au français, qui a une prononciation monocorde, le portugais présente des syllabes **toniques** (c'est le cas de la terminaison **ão**, qui doit être prononcée avec une emphase) et **atones** (comme la terminaison **–am**, sans emphase). Le résultat en est le rythme chantant si caractéristique de la langue portugaise du Brésil... À retrouver également dans le **forró**, une musique et une danse basées sur le rythme d'un accordéon et d'un triangle métallique.

Entraînement – Traduisez les phrases suivantes

1. Tu danses de temps en temps ?

2. Demain, ils danseront.

3. Você vai dançar?

4. Eles dançaram forró.

Solutions

1. Você dança de vez em quando?

2. Amanhã, eles dançarão.

3. Tu vas danser ?

4. Ils ont dansé le forró.

Que cidades do Brasil você já visitou?
Dans quelles villes du Brésil es-tu déjà allée ?

1 **Você já viajou muito pelo Brasil?**
*vo**ssé** jà via**joou** **moui**tou **pé**lou bra**ziou***
Tu as déjà beaucoup voyagé à travers le Brésil ?

2 **Sim, visitei várias cidades muito bonitas!**
*ssïn, vi**zi**téi **và**riass ssi**da**djis **moui**tou boni**tass***
Oui, j'ai visité plusieurs villes très belles !

3 **Você achou Salvador uma cidade bonita?**
*vo**ssé** a**cho**ou ssaouva**dor** ouma ssi**da**dji bo**ni**ta*
Tu as trouvé que Salvador est une belle ville ?

4 **Sim, lá tem muitos lugares lindos.**
*ssïn, là tén **moui**touss lou**ga**riss **lin**douss*
Oui, il y a beaucoup de beaux endroits là-bas.

Notes de Grammaire

Pluriel et singulier : le pluriel des mots finissant par une voyelle se fait par ajout, en fin de mot, de la lettre **s**. Exemple : **bonita/ bonitas** ; **cidade/cidades**. Les mots finissant par une consonne (**r**, **n**, **s** et **z**) gagnent **es** au plurlel : **lugar/lugares**.

muito/muitos, muita/muitas : muito est un adverbe d'intensité, il est donc toujours invariable. Exemple : **Você é muito bonito!/ Você é muito bonita!**, *Tu es très beau !/Tu es très belle !* Mais il peut aussi être un pronom indéfini et, dans ce cas, il est variable : **muitos lugares** ; **muitas cidades**, etc. On le traduit en français par : *beaucoup, de nombreux, plusieurs*, etc.

Remarque : muito invariable se réfère toujours à un adjectif et **muito** variable se réfère toujours à un nom ou un sujet. Voilà, maintenant vous ne pourrez plus les confondre ! Ne ditez donc pas : **Vocês são muitas bonitas!**, *Vous êtes beaucoup belles !*

Entraînement – Traduisez les phrases suivantes
1. Tu visites beaucoup de villes.
2. Hier, j'ai mangé beaucoup de poisson.
3. Eu vou dançar muito!
4. Tem muitos jornais na banca!

Solutions
1. Você visita muitas cidades.
2. Ontem, eu comi muitos peixes.
3. Je vais beaucoup danser !
4. Il y a beaucoup de journaux au kiosque !

Estou com dor de garganta!
J'ai mal à la gorge !

1 **O senhor receita qual remédio para mim?**

*ou ssé**gnor** réss**éï**ta koual ré**mè**diou **pa**ra mïn*

Docteur, quel médicament me prescrivez-vous ?

2 **Eu te receito um anti-inflamatório.**

*éou ti réss**éï**tou oun ain-ti ïnflama**tò**riou*

Je vous prescris un anti-inflammatoire.

3 **Eu devo ter um comigo, serve?**

*éou **dé**vou tér oun ko**mi**gou, ss**è**rvi*

Je dois en avoir avec moi, c'est bon ?

4 **Ão. É melhor comprar o que eu te der.**

nain**-on. è méli**òr** kon**prar** ou ké éou ti **dèr

Non. Il vaut mieux acheter celui que je vous donne.

Notes de Grammaire

Les pronoms personnels : ils sont utilisés comme en français et, selon qu'ils sont précédés ou pas d'une préposition, leur forme change.

sujet	sans préposition	avec préposition
eu	me	mim
tu	te	ti
ele, ela	o, a, lhe, se	si, ele, ela
nós	nos	nós
eles, elas	se, os, as, lhes	eles, elas, si

Quelques prépositions :

a	*à*
após	*après*
até	*jusque*
com	*avec*
contra	*contre*
de	*de*
desde	*depuis*
em	*en*
entre	*entre*
para	*pour*
sem	*sans*
sob	*sous*
sobre	*sur*

Attention : lorsque la préposition est **com**, le pronom se soude à elle pour former **comigo**, **contigo**, **consigo**, **conosco** et **convosco**. Mais dans le langage parlé, il est possible de dire : **com você, com ela, com a gente, com vocês, com a senhora / com o senhor.**

Entraînement – Traduisez les phrases suivantes

1. Je lui donne le médicament.

2. Vous avez des médicaments avec vous ?

3. Vou viajar com ele amanhã.

4. Eu vou contigo à praia!

Solutions

1. Eu lhe dou o remédio.

2. Você tem remédios consigo?

3. Je vais voyager avec lui demain.

4. Je vais avec toi à la plage !

Ainda não comi feijoada.
Je n'ai pas encore mangé de feijoada.

1 **Você já comeu feijoada?**
vossé jà koméou féïjoada
Tu as déjà mangé de la feijoada ?

2 **Não, eu nem comi. O que é?**
nain-on, éou nén komi. Ou ké è
Non, je n'en ai jamais mangé. Qu'est-ce c'est ?

3 **Feijoada é um prato típico!**
féïjoada è oun pratou tìpikou
La feijoada, c'est un plat traditionnel !

Notes de Grammaire

Négation : nem peut avoir la même signification que **não**, *non*, quand il est utilisé en tant qu'adverbe. Dans les phrases négatives, il est employé comme conjonction servant à relier deux éléments : **sem feijão nem arroz**, *sans haricot ni riz.*

nem apparaît aussi fréquemment dans le langage argotique et dans une expression très répandue au Brésil : **não estou nem aí!**, qui veut dire : *je m'en fiche !*

Articles partitifs : attention, ils n'existent pas en portugais ! Exemple : **pão**, *du pain* ; **queijo**, *du fromage* ; **geleia**, *de la confiture*, etc.

Entraînement – *Traduisez les phrases suivantes*

1. Tu veux du fromage ?
2. Je veux de la feijoada.
3. Você quer comer peixe?
4. Nem quero comer peixe!

Solutions

1. Você quer queijo?
2. Eu quero feijoada.
3. Tu veux manger du poisson ?
4. Je ne veux pas manger de poisson !

Previsão do tempo
La météo

1 A chuva de ontem foi mais forte do que a de hoje.
*a **chou**va dji on**tén** foï maïss **for**tchi dou ké a dji oji*
La pluie d'hier a été plus forte que celle d'aujourd'hui.

2 Será que amanhã vai chover tanto quanto hoje?
*ssé**rà** ké ama**gna** vaï **cho**vér **tain**-tou **kouain**tou oji*
Est-ce qu'il pleuvra demain autant qu'aujourd'hui ?

3 Eu não sei, mas essa chuva é chatíssima!
*éou **nain**-on sséï, mass **è**ssa **chou**va è cha**tì**ssima*
Je ne sais pas, mais cette pluie est très agaçante !

Notes de Grammaire

Comparatif : observez les mots soulignés dans les exemples suivants pour voir comment se construisent les différentes formes.
- Comparatif d'égalité : **amanhã vai chover <u>tanto quanto</u> hoje**, *demain il va pleuvoir autant qu'aujourd'hui* ; **Aqui é <u>tão</u> bonito <u>quanto</u> lá!**, *Ici c'est aussi beau que là-bas !*
- Comparatif de supériorité : **A chuva de ontem foi <u>mais</u> forte <u>do que</u> a de hoje**, *La pluie d'hier a été plus forte que celle d'aujourd'hui.*
- Comparatif d'infériorité : **A chuva de ontem foi <u>menos</u> forte <u>do que</u> a de hoje**, *La pluie d'hier a été moins forte que celle d'aujourd'hui.*

Superlatif: il peut se construire de deux façons. On peut employer la formule *le plus/la plus*, comme en français : **a mais chata chuva**, *la pluie la plus agaçante*, ou bien le suffixe **íssimo** (m.)/**íssima** (f.) : **o sol fortíssimo**, *le soleil le plus éclatant*.

Entraînement – Traduisez les phrases suivantes

1. Ce poisson est très bon !
2. Le soleil d'aujourd'hui est plus fort que celui d'hier.
3. Que chuva chata!
4. Esta cidade é mais bonita do que a outra.

Solutions

1. Esse peixe está boníssimo!
2. O sol de hoje está mais forte do que o de ontem.
3. Quelle pluie agaçante !
4. Cette ville est plus belle que l'autre.

↗ **14ᵉ jour**

Viajar cansa!
Les voyages, ça fatigue !

1 Você está cansado?
vossé ésstà kainssadou
Tu es fatigué ?

2 Estou cansadão. Você está cansadona?
ésstoou kainssadain-on. vossé ésstà kainssadona
Je suis très fatigué. Et toi, tu es fatiguée aussi ?

3 Sim, vou dormir na minha cama!
ssïn, voou dormir na migna kain-ma
Oui, je vais dormir dans mon lit !

Notes de Grammaire

Augmentatif : attention à l'usage du suffixe **-ão** ! Si à la fin d'un verbe, cette terminaison marque le futur, comme on l'a déjà vu auparavant, **-ão** à la fin d'un nom au masculin ou d'un adjectif est une particule qui sert d'augmentatif. C'est-à dire qu'elle vient renforcer la taille ou l'intensité exprimées par le nom ou l'adjectif en question. Exemple : **estou cansado**, *je suis fatigué* → **estou cansadão**, *je suis très fatigué* ; **um carro**, *une voiture* → **um carrão**, *une grosse voiture*, etc.
Au féminin, on utilise la particule **ona** : **estou cansada**, *je suis fatiguée* → **estou cansadona**, *je suis très fatiguée* ; **uma casa**, *une maison* → **uma casona**, *une grande maison*.

Diminutif : le diminutif peut aussi s'exprimer par l'emploi d'un suffixe. Il faut alors ajouter **-inho/inha** au nom ou à l'adjectif. Exemple : **um carro pequeno = um carrinho**, *une petite voiture*.

Curiosité : pour certains mots, le diminutif est formé avec **zinho/ zinha** : **xícara**, *une tasse* → **xícarazinha**, *une petite tasse*. Mais l'on entend aussi dans certaines régions : **xicrinha**.

Possessifs : au masculin, utilisez les pronoms **meu**, *mon* ; **teu**, *ton* ; **seu**, *son* ; **nosso**, *à nous* / **meus**, **teus**, **seus**, **nossos** (au pluriel).

Pour les noms féminins : **minha**, *ma* ; **sua**, *sa* ; **nossa**, *à nous* / **minha**, **suas** et **nossas** (au pluriel).

Au masculin et au féminin : **da gente**, *à nous* (langage populaire) ; **de vocês**, *à vous*.

Entraînement – Traduisez les phrases suivantes

1. Je vais manger un petit peu.

2. Notre grande voiture !

3. Uma prainha bonita.

4. Um carro bonitinho.

Solutions

1. Eu vou comer um pouquinho.

2. Nosso carrão!

3. Une belle petite plage.

4. Une belle petite voiture.

O país onde moro é...
Le pays où je vis ("j'habite") c'est...

1   **No país onde você mora faz frio? Eu vou à Bélgica.**
nou pàiss ondji vossé mòra fass friou ? éou voou a bèougika
Il fait froid dans le pays où tu vis ("habites") ? Je pars en Belgique.

2   **Sim, um frio que é difícil aguentar!**
ssïn, oun friou ké è difissiou agᵒᵘéntar
Oui, un froid difficile à supporter !

3   **Mas aonde nós vamos não faz tanto frio, né?**
mass aondji nòss vainmouss nain-on fass taintou friou, nè
Mais là où nous allons, il ne fait pas aussi froid, pas vrai ?

Notes de Grammaire

De** et **que : Ils sont très employés en portugais. Par exemple, on peut dire **um frio difícil de aguentar** mais, souvent, les Brésiliens emploient le pronom **que**, qui renvoie à des personnes ou à des choses, au singulier ou au pluriel : **um frio que é difícil aguentar,** *un froid difficile à supporter*. Dans cette phrase, **que** fait référence au froid.

Adverbes de lieu : attention, différenciez bien **onde** et **aonde** ! Tous les deux sont des adverbes de lieu, mais **aonde** doit être utilisé uniquement quand le mot est en relation avec des verbes qui suggèrent le mouvement :
<u>**Aonde** você vai?</u>, *Où vas-tu ?*
<u>**Aonde** eu posso ir correr?</u>, *Où puis je faire du jogging ?*
<u>**Aonde** você me levará?</u>, *Où vas-tu m'emmener ?*

Onde en revanche, est utilisé quand le mot est en relation avec un lieu ou quand il n'y a pas d'idée de mouvement :
O país onde você mora é frio, *Le pays où tu habites est froid.*
Onde fica a Bahia ?, *Où se trouve l'État de Bahia ?*

Entraînement – Traduisez les phrases suivantes
1. Où allez-vous ?
2. Où se trouve la rue Augusta ?
3. **Onde é o restaurante?**
4. **Aonde nós vamos?**

Solutions
1. **Aonde você vai?**
2. **Onde fica a rua Augusta?**
3. Où se trouve le restaurant ?
4. Où allons-nous ?

Por que você não fica mais no Brasil?
Pourquoi tu ne restes pas
un peu plus longtemps au Brésil ?

1 **Eu não posso ficar porque as férias vão terminar.**

*éou **nain**-on **pò**ssou fi**kar** por**ké** ass **fè**riass **vain**-on térmi**nar***

Je ne peux pas rester parce que les vacances se terminent bientôt.

2 **Por que as férias sempre terminam, por quê?!**

*por **ké** ass **fè**riass **ssem**pri térmi**nain**, por**ké***

Pourquoi les vacances doivent-elles toujours se terminer ? Pourquoi ?!

3 **O porquê eu não sei!**

*ou por**ké** éou **nain**-on sséi*

Je ne connais pas le pourquoi [de la chose] !

4 **Eu também não...**

*éou tain**bén nain**-on*

("je aussi non")

Moi non plus...

Notes de Grammaire

parce que/pourquoi : un récapitulatif des différents emplois et graphies de **porquê**, *parce que/pourquoi* s'impose...

- **porque** est une conjonction explicative qui équivaut à *puisque* ou *parce que* en français. Elle apparaît dans les réponses liées à une phrase interrogative : **Por que você está cansado ? Você está cansado porque viajou muito ontem**, *Pourquoi es-tu fatigué ? Tu es fatigué parce que tu as beaucoup voyagé hier.*

- **porquê** est un substantif et il est toujours accompagné d'un article, d'un pronom, d'un adjectif ou d'un adjectif numéral : **O porquê das férias eu não sei!**, *Je ne connais pas le pourquoi des vacances !*

- **por que** peut être la jonction de la préposition **por** (*pour* ou *par*) avec le pronom **que**, *quel*, ou bien la jonction de la préposition **por** avec le pronom relatif **que**, *que, qui*. **por que** apparaît souvent dans des phrases interrogatives : **Por que você não fica mais no Brasil?**, *Pourquoi tu ne restes pas plus longtemps au Brésil ?*

- **por quê** apparaît toujours en fin de phrase et interroge sur le motif, l'intention, la raison : **Essa chuva hoje, por quê??**, *Cette pluie aujourd'hui, pourquoi ??*

Pronom réflexif : il n'est pas possible de commencer une proposition par le pronom réflexif, celui-ci vient se placer après le verbe, lié à lui par un tiret. Ainsi dit-on **avise-me**, *préviens-moi*, et jamais **me avise**. Ou **desculpe-me**, *pardonnez-moi*, et non **me desculpe**.

Entraînement – Traduisez les phrases suivantes

1. Pourquoi suis-je très fatiguée ?
2. Je sais le pourquoi [de la chose] !
3. Por que você vai viajar amanhã?
4. Dançar forró, por quê?

Solutions

1. Por que eu estou cansadona?
2. Eu sei o porquê!
3. Pour quelle raison vas-tu voyager demain ?
4. Danser le forró, pour quoi [faire] ?

Você comprou a tua passagem?
As-tu acheté ton billet ?

1   Havia (tinha) muitas pessoas na fila...
*avia (**tig**na) **mou**itass pé**sso**ass na **fi**la*
Il y avait beaucoup de monde dans la queue...

2   Mas ainda havia (tinha) passagens?
*mass aïnda avia (**tig**na) pa**ssa**génss*
Mais il y avait encore des billets ?

3   Sim, ainda havia (tinha) duas!
*ssin, aïnda avia (**tig**na) **dou**ass*
Oui, il y en avait encore deux !

Notes de Grammaire

Il y a/il y avait : cette formule s'exprime à l'aide des verbes **ter**, *avoir*, et **haver**, *être*, pris dans le sens d'"exister".
On peut dire : <u>havia **muitas pessoas na fila**</u> ou <u>tinha</u> **(existem) muitas pessoas na fila...**, mais <u>on ne peut pas dire</u> : **haviam muitas pessoas na fila...**
Lorsqu'ils sont utilisés dans le sens d'"exister", **ter** et **haver** sont impersonnels, ils sont toujours conjugués à la troisième personne du singulier.

Attention : l'usage du verbe **ter** dans sa forme impersonnelle est admis uniquement dans le langage oral. Le langage académique imopose d'utiliser toujours le verbe **haver**.

temps verbaux	ter – 3e pers. sg.	haver – 3e pers. sg.
présent	**tem**, *il y a*	**há**, *il y a*
imparfait	**tinha**, *il y avait*	**havia**, *il y avait*
futur	**terá**, *il y aura*	**haverá**, *il y aura*

Entraînement – Traduisez les phrases suivantes

1. Demain il y aura des billets pour Rio ?

2. Il y a beaucoup de poissons !

3. Havia muitos restaurantes na cidade.

4. Há muitos brasileiros no Canadá?

Solutions

1. Amanhã haverá passagens para o Rio?

2. Há muitos peixes!

3. Il y avait beaucoup de restaurants dans la ville.

4. Il y a beaucoup de Brésiliens au Canada ?

↗ 18ᵉ jour

Quero reencontrar com você!
J'aimerais te revoir !

1 **Espero que eu encontre com você novamente!**
ésspèrou ké éou énkontri kon vossé novaméntchi
J'espère te rencontrer à nouveau !

2 **Pode ser que eu vá para a Europa em breve.**
pòdi ssér ké éou và para a éouròpa én brèvi
Il se peut que j'aille en Europe bientôt.

3 **Quando você for, avise-me!**
kouandou vossé for, avize-mi
Quand tu iras, préviens moi !

4 **Claro! Com prazer!**
klarou! kon prazér
Bien sûr ! Avec plaisir !

Notes de Grammaire

Expression de l'incertitude : pour évoquer un fait au présent avec une nuance d'incertitude, utilisez le subjonctif présent :
- Infinitif en **-ar** : ex. **encontrar**, *rencontrer* → **que eu/ele/ela/(você), (a gente) encontre** ; **que nós encontremos** ; **que eles/elas/(vocês) encontrem** ;
- Infinitif en **-er** : ex. **beber**, *boire* → **que eu/ele/ela/(você), (a gente) beba** ; **que nós bebamos** ; **que eles/elas/(vocês) bebam** ;
- Infinitif en **-ir** : ex. **partir**, *partir* → **que eu/ele/ela/(você), (a gente) parta** ; **que nós partamos** ; **que eles/elas/(vocês) partam** ;
Attention aux verbes qui font exception à la règle !

ser, *être* → que eu/ele/ela/(você), (a gente) se<u>ja</u> ; que nós seja<u>mos</u> ; que eles/elas/(vocês) seja<u>m</u> ;

ir, *aller* → que eu/ele/ela/(você), (a gente) <u>vá</u> ; que nós <u>vamos</u> ; que eles/elas/(vocês) <u>vão</u> ;

estar, *être* → que eu/ele/ela/(você), (a gente) este<u>ja</u> ; que nós este<u>jamos</u> ; que eles/elas/(vocês) este<u>jam</u>.

Ces verbes apparaissent presque toujours avec des mots exprimant un souhait ou un désir : **Espero que eu encontre com você novamente!**

Entraînement – *Traduisez les phrases suivantes*
1. J'espère qu'il me parlera du voyage.
2. Il se peut qu'il pleuve.
3. **Espero que eu danse com você!**
4. **Espero que eu vá para a Europa.**

Solutions
1. **Eu espero que ele me fale sobre a viagem.**
2. **Pode ser que chova.**
3. J'espère danser avec toi !
4. J'espère aller en Europe.

Fique tranquila!
Reste calme !

1 Você perdeu a tua carteira? Preste mais atenção!

*vossé pér**déou** a toua kar**téï**ra ? **prés**tchi **maï**ss atén**ssain-on***

Tu as perdu ton portefeuille ? Sois plus attentif !

2 Eu esqueci a minha carteira na loja...

*éou ésské**ssi** a mi**gna** kar**téï**ra na **lò**ja*

J'ai oublié mon portefeuille à la boutique...

3 Telefone para a loja.

*tèlè**f**onɪ **pa**ra a **lo**ja*

Téléphone à la boutique.

4 Boa ideia! Talvez eles a tenham guardado.

*boa i**dè**ia! **taou**véss éliss a teg**nain** guar**da**dou*

Bonne idée ! Il se peut qu'ils l'aient rangé.

Notes de Grammaire

Impératif : pour exprimer un ordre, une demande ou un conseil, on emploie la forme impérative. Comme en français, le pronom **eu**, *je*, n'est pas employé à l'impératif en portugais. Pour **você**, *tu* , **vocês**, *vous* ; **nós**, *nous* ; **a gente**, *on* ; **ele/ela**, *il/elle*, la forme du verbe est la même que pour le subjonctif présent. En voici un rappel :

Você, ele/ela, a gente fique ; nós fiquemos ; vocês, eles/elas fiquem ;

Você, ele/ela, a gente telefone ; nós telefonemos ; vocês, eles/elas telefonem.

Expression idiomatique : Boa ideia! est une expression couramment utilisée qui sert à renforcer une suggestion.

Par exemple : **É uma boa ideia ir para a praia!**, *C'est une bonne idée d'aller à la plage !* ; ou, tout simplement : **Que boa ideia!**, *Quelle bonne idée !*

Elle s'emploie également pour dire que l'on a trouvé une solution par rapport à un problème, ou encore, pour dire que l'on a été bien avisé : **Eu tenho uma boa ideia para hoje à noite!**, *J'ai une bonne idée pour ce soir !* ; **Eu tive uma boa ideia quando decidi vir para o Brasil!**, *J'ai eu une bonne idée quand j'ai décidé de venir au Brésil !*

Entraînement – Traduisez les phrases suivantes

1. Pourquoi n'est-ce pas une bonne idée ?
2. N'oublie pas ton portefeuille !
3. **Telefone para ela!**
4. **Guarde a carteira!**

Solutions

1. **Por que não é uma boa ideia?**
2. **Não esqueça da tua cateira!**
3. Appelle-la !
4. Garde le portefeuille !

Na rodoviária
À la gare routière

1   **Se eu tivesse chegado antes teria pego outro ônibus!**

ssi éou tivèssi chégadou aintchiss téria pégou ooutrou onibouss

Si j'étais arrivé plus tôt, j'aurais pris un autre autocar !

2   **Mas por que eles estavam atrasados de três horas?**

mass por ké éliss ésstavain atrazadouss dji tréiss òrass

Mais pourquoi avaient-ils un retard de trois heures ?

3   **Se ao menos eles tivessem dito...**

ssi aou ménouss éliss tivèssén ditou

Si au moins ils nous avaient prévenus...

Notes de Grammaire

Verbes : en portugais, il est courant d'avoir deux verbes qui se suivent dans une phrase, l'un ayant la fonction de verbe principal et l'autre, de verbe auxiliaire.

Dans la langue parlée, on rencontre souvent cette forme pour exprimer une situation imaginée qui aurait eu lieu dans le passé :

Si j'étais arrivé plus tôt, j'aurais pris un autre autocar !

Un des verbes auxiliaires les plus employés est le verbe **ter**, *avoir*. Regardez comment l'employer :

eu	tivesse	
(você), ele/ela, (a gente), (o senhor / a senhora)	tivesse	+ participe passé du verbe principal
(vocês), eles/elas	tivessem	

Former le participe passé en portugais est assez facile ! Observez les terminaisons :

verbes en **-ar**	verbes en **-er**	verbes en **-ir**
cantar, *chanter* → **cantado**	**comer**, *manger* → **comido**	**partir**, *partir* → **partido**
falar, *parler* → **falado**	**vender**, *vendre* → **vendido**	**dormir**, *dormir* → **dormido**

Entraînement – Traduisez les phrases suivantes

1. Si [seulement] j'avais dansé avec lui hier...

2. Si [seulement] j'avais lu le journal !

3. E se a gente tivesse dormido na praia?

4. Se vocês tivessem vendido a passagem antes...

Solutions

1. Se eu tivesse dançado com ele ontem...

2. Se eu tivesse lido o jornal!

3. Et si on avait dormi à la plage ?

4. Si [seulement] vous aviez vendu le billet avant...

Eu gostaria de ver Ouro Preto...
J'aurais aimé voir Ouro Preto...

1 **Você não pode ir por quê?**
*vossé **nain**-on **pò**dji ir por **ké***
Qu'est-ce qui t'empêche d'y aller ?

2 **Na próxima semana eu irei!**
*na **prò**ssima ssé**main**-na éou iréi*
La semaine prochaine, j'irai !

3 **Quando você for, eu já terei partido para o Canadá.**
kouan**dou vo**ssé** for, éou jà téréï par**ti**dou **pa**ra ou kana**dà
Lorsque tu iras, je serai déjà parti au Canada.

Notes de Grammaire

Futur antérieur : pour évoquer quelque chose qui doit se produire ou un fait considéré comme accompli dans le futur, on utilise la forme composée avec l'auxiliaire **ter**, *avoir*, cette fois-ci conjugué au futur, et le participe passé du verbe principal :
eu terei... cantado, *j'aurai...chanté* ; **...dançado**, *dansé* ;
...corrido, *couru* ; **...dormido**, *dormi* ; **...falado**, *parlé* ;
...visto, *vu* ;
(você), ele, ela, (a gente) terá... comido, *il/elle on aura...mangé* ;
...ido, *sera allé* ; **...lido**, *aura lu* ; **...nadado**, *aura nagé* ;
nós teremos... passado, *nous aurons... passé* ; **...visitado**, *visité* ;
...passeado, *nous nous serons promenés* ;
eles, elas, (vocês) terão... comprado, *vous aurez... acheté* ;
...dado, *donné* ; **...podido**, *pu* ; **...morado**, *habité*.

Vocabulaire du temps : parmi les mots utiles pour exprimer la division du temps, retenez **dia**, *jour* ; **semana**, *semaine* ; **mês**, *mois* ; **ano**, *année*.

Entraînement – Traduisez les phrases suivantes
1. À 3 h vous aurez déjà nagé ?
2. Il aura mangé une feijoada et moi, de la viande !
3. Na semana que vem eu terei visitado o Rio de Janeiro.
4. No mês que vem eu terei lido um livro em português.

Solutions
1. Vocês já terão nadado às 3 horas?
2. Ele terá comido uma feijoada e eu uma carne!
3. La semaine prochaine, j'aurai visité Rio de Janeiro.
4. Le mois prochain, j'aurai lu un livre en portugais.

↗ Annexe : Les contractions

Vous avez rencontré ce phénomène dans la 5ᵉ leçon ; voici une liste des contractions les plus utilisées :

a + o(s) = ao(s)	de + o(s) = do(s)	de + aqui = daqui
a + a(s) = à(s)	de + a(s) = da(s)	de + aí = daí
em + o(s) = no(s)	de + ele(s) = dele(s)	de + ali = dali
em + a(s) = na(s)	de + ela(s) = dela(s)	
em + um(ns) = num(ns)	de + este(s) = deste(s)	
em + uma(s) = numa(s)	de + esta(s) = desta(s)	
por + o(s) = pelo(s)	de + esse(s) = desse(s)	
por + a(s) = pela(s)	de + essa(s) = dessa(s)	

Astuce : concernant la contraction du **a**, vous avez vu qu'elle peut se produire ou non, dans le cas de la formule verbe **ir** + prép. **a** + compl. de lieu. Alors, comment en être sûr ? Il suffit de retourner la phrase en utilisant la préposition **de**. On dit : **eu venho de Vitoria**, pas d'article contracté, mais **eu venho da (de+a) Bahia**, article obligatoire, donc on écrira : **Eu vou à Bahia** (contraction marquée par l'accent grave).

Conversation

↗ **Premiers contacts**

Vous allez vite vous apercevoir qu'en général, les Brésiliens trouveront plutôt étrange que vous vous adressiez à eux en les vouvoyant, surtout s'il s'agit de personnes du même âge ou plus jeunes que vous. Au Brésil, on n'emploie le vouvoiement qu'à l'attention des personnes plus âgées ou dans des les lieux considérés comme "chics" : certains restaurants ou commerces. Si vous souhaitez vouvoyer quelqu'un, utilisez **o Senhor**, *Monsieur*, ou **a Senhora**, *Madame*, en début de phrase, ce qul correspond au "vous" formel. Dans tous les autres cas, on utilisera **você** (qui correspond à la fois au "vous" et au "tu").

Salutations

Bonjour !	**Bom dia!**	*bon djia*
Bonjour !/ Bonne après-midi !	**Boa tarde!**	**bo***oua* **tar***dji*
Bonsoir !/Bonne nuit !	**Boa noite!**	**bo***oua* **noï***tchi*
Salut !	**Oi!/Olá!**	*oï/o***là**

Ne confondez pas **Bom dia!** et **Boa tarde!** Le matin, on salue avec **Bom dla!** Une fols passée l'heure du déjeuner, passez au **Boa tarde!** et une fois le soleil couché, dites **Boa noite!**

Vous pouvez utiliser **Oi!** ou **Olá!** lorsque vous vous adressez à des personnes que vous connaissez ou que vous avez l'habitude de voir assez souvent (cela peut être même le réceptionniste de votre hôtel par exemple). Vous pouvez aussi combiner les salutations : **Oi, bom dia!**, par exemple, afin de rendre le salut plus informel.

Quant aux réponses à apporter, facile, ce sont strictement les mêmes que les salutations !

Lorsque vous engagez une conversation, le salut prend une autre forme :

Bonjour, ça va bien ?	Bom dia, tudo bem?	bon djia **tou**dou bén
Salut, comment ça va ?	Oi, como vai?	oï **ko**mou vaï
Bonjour, comment vas-tu ?	Bom dia, como vai?	bon djia **ko**mou vaï
Salut, ça va bien ?	Oi, tudo bem?	oï **tou**dou bén

S'il s'agit d'une personne plus âgée, rajoutez **o Senhor** ou **a Senhora** après :

Bonjour, vous allez bien ?
Bom dia, tudo bem com a Senhora/com o Senhor?
*bon djia **tou**dou bén kon ou ssé**gnò**ra / kon ou ssé**gnor***

Pour demander une information, enchaînez dans la phrase "salutation + question + remerciement".
La personne qui vous répond n'est pas obligée de vous rendre votre salutation, mais peut répondre directement à votre question... ne prenez pas cela comme un manque d'éducation !

Avant de partir, pensez à dire :

À plus tard !	Até logo!	atè **lò**gou
À bientôt !	Até mais!	atè **ma**ïss
À la prochaine !/À plus !	Até a próxima!	atè a **prò**ssima
Salut !/Au revoir !	Tchau!	tchaou

Souhaits

Bonne nuit !	Passe uma boa noite!	*pàssi ouma **bo**oua **noï**tchi*
Bonne journée !	Passe um bom dia!	*pàssi oun bon djia*
Bonne après-midi !	Tenha uma boa tarde!	*tégna ouma **bo**oua **tar**dji*
Bon voyage !	Faça uma boa viagem!	*fàssa ouma **bo**oua viagén*
Bon appétit !	Bom apetite!	*bon apé**tchi**tchi*
Santé !/Tchin-Tchin ! (aussi À tes souhaits !)	Saúde!	*ssa**ou**dji*

À l'arrivée d'une ou de plusieurs personne(s), on dit :

Sois le bienvenu/la bienvenue !/Soyez les bienvenus !
Seja benvindo/benvinda!/Sejam benvindos!
***ss**éja bén**vïn**dou/bén**vïn**da/**ss**éjain bén**vïn**douss*

Accord, désaccord

En portugais, pour exprimer son accord ou désaccord avec une personne, une opinion, un point de vue, on peut dire **sim**, *oui*, ou **não**, *non*. Mais si vous souhaitez donner plus de poids à votre réponse, vous pouvez combiner les expressions :

Oui.	Sim.	*sïn*
Je suis d'accord.	Eu concordo.	*éou kon**kor**dou*
Bien sûr !	Claro!	***kla**rou*
C'est certain !	Com certeza!	*kon ssér**te**za*
Non.	Não.	***nain**-on*
Je ne suis pas d'accord.	Eu não concordo.	*óou **nain** on kon**kor**dou*
Bien sûr que non !	Claro que não!	***kla**rou ki **nain**-on*

Je suis désolé(e), mais je ne suis pas d'accord.
Desculpe, mas eu não concordo!
*déss**kou**oupi **ma**ïss éou **nain**-on kon**kòr**dou*

Pour s'excuser et remercier :

Au Brésil les gens s'excusent lorsqu'ils commettent un geste involontaire ou quand ils essaient de se frayer un passage au milieu d'une foule. Mais quand ils ont besoin d'une information, ils disent très rarement "excusez-moi…" avant de poser leur question !

Excuse(z)-moi !	**Desculpe-me!**	*déss**kouou**pi-mi*
Pardon !	**Perdão!**	*pér**dain**-on*
Excuse(z)-moi de vous déranger…	**Desculpe incomodar…**	*déss**kouou**pi ïnkomo**dar***

S'il te/vous plaît…	**Por favor…**	*por fa**vor***
Merci (masc./fém.) !	**Obrigado!/Obrigada!**	*obri**ga**dou/obri**ga**da*
Merci beaucoup !	**Muito obrigado/ obrigada!**	***mou**ïtou obri**ga**dou/ obri**ga**da*

Comme entrée en matière, vous pouvez introduire votre question en disant : **Bom dia, por favor…** *Salut, s'il te/vous plaît…*

Attention, n'oubliez pas d'adapter votre façon de dire "merci" selon que vous êtes un homme ou une femme : **obrigado/obrigada!** C'est un automatisme à acquérir.

Les réponses possibles sont :

De rien !	De nada!	dji **na**da
Il n'y a pas de quoi !	Não há de quê!	**nain**-on à dji **ké**
C'est moi qui vous remercie !	Sou eu quem agradece!	**so**ou éou kén agra**dè**ssi

Questions/Réponses

Les mots pour questionner et pour répondre :

Où ?	Onde?	**on**dji
Combien ?	Quanto?	**kouan**tou
Comment ?	Como?	**ko**mou
Pourquoi ?	Por quê?/Por que?	por **ké**/por**ké**
Qui ?	Quem?	kén
Qu'est-ce que c'est ?	O que é?	ou ké è

Où se trouve la plage ?
Onde fica a praia?
ondji **fi**ka a **praï**a

Elle se trouve là-bas.
Fica pra lá.
fika **prà là**

Combien ça coûte ?
Quanto custa?
kouantou **kouss**ta

Ça coûte 10 reais.
Custa 10 reais.
koussta dèss réaïss

Combien de temps faut-il pour aller à la plage ?
Quanto tempo demora para ir até a praia?
kouantou **tén**pou dé**mò**ra **para** ir atè a **praï**a

Il vous faut 30 minutes.
Demora 30 minutos/meia hora.
*dé**mò**ra **trïn**ta mi**nou**touss/**méï**a òra*

Comment dois-je faire pour aller à Foz do Iguaçu ?
Como eu faço para ir à Foz do Iguaçu?
ko**mou éou **fa**ssou **pa**ra ir **à** fòss dou igoua**ssou

Tournez à la deuxième rue à gauche.
Vire na segunda rua à esquerda.
***vi**ri na ssé**goun**da **rou**a a éss**kér**da*

Pourquoi tu ne veux pas y aller ?
Por quê/Por que você não quer ir?
*por **ké**/por**ké** vo**ssé nain**-on **kèr** ir*

Parce que je ne veux pas !
Porque eu não quero!
*por**ké** éou **nain**-on **kè**rou*

Qui est-ce ?   *C'est mon épouse.*
quem é?   **É a minha mulher.**
kén è?   *è a **mig**na mou**lièr***

Qu'est-ce que c'est ?
O que é?
ou ké è

Ce sont des empadas, une spécialité locale.
São empadas, uma especialidade local.
ssain**-on én**pa**das ouma éss**pé**ssiali**da**dji lo**kaou

Langage du corps

Au Brésil, le contact physique n'est pas forcement mal perçu, tout dépend du contexte...

Si vous êtes en pleine conversation entre amis ou personnes de votre âge, se toucher le bras ou les épaules fait partie des gestes possibles, en revanche, toucher les jambes ou la main peut provoquer des incompréhensions... Par ailleurs, les Brésiliens font souvent la bise sur la joue quand ils sont présentés à quelqu'un, sauf dans les situations professionnelles, où l'on se serre la main.

Les Brésiliens font les mêmes mouvements de la tête que nous pour dire *oui* ou *non* mais...

- Pour dire *non*, on peut aussi faire claquer sa langue deux fois, le son produit ressemblant à *[tain-tain]*, ou émettre un son qu'on peut transcrire par : *[ain-ain]*.

- Pour dire *oui*, dans certains coins du pays, on peut dire quelque chose qui sonne comme *[ainRain]*.

Langues et compréhension

Parlez-vous français ?
Você fala francês?
*vo**ssé fa**la frain-**ssés***

Non, je ne parle que portugais.
Não, eu falo somente português.
nain**-on éou **fa**lou **ssò**méntchi portou**guéss

Je parle un tout petit peu portugais…
Eu falo um pouquinho de português…
*éou **falo**u oun poou**ki**gnou dji portou**guéss***

Vous avez compris ?
Você entendeu?
*vo**ssé** éntén**dé**ou*

Je n'ai pas compris, vous pouvez répéter ?
Eu não entendi, você pode repetir?
*éou **nain**-on éntén**di** vo**ssé pò**di répé**tir***

Comment ça s'écrit ?
Como se escreve?
***ko**mou ssi éss**krè**vi*

Vous pouvez épeler ?
Você pode soletrar?
*vo**ssé pò**dji ssolé**trar***

Vous pouvez parler plus doucement ?
Você pode falar mais devagar?
*vo**ssé pò**dji fa**lar ma**ïss déva**gar***

Qu'est-ce que cela veut dire ?
O que isso significa?
*ou ké **ï**ssou siguini**fi**ka*

↗ **Rencontre et présentation**

Ce n'est pas un hasard si, au Brésil, le vouvoiement n'est pas couramment utilisé ! Cela reflète la facilité avec laquelle on peut faire connaissance, tisser des liens d'amitié et parler des différentes cultures, même malgré les barrières linguistiques.

Se rencontrer

Quand on rencontre une personne, on la salue, puis on lui demande si tout va bien. Les réponses possibles étant :

Tout va bien !	Tudo jóia!	*tou*dou **jò**ïa
Très bien !	Muito bem!/ Tudo bem!	**mouï**tou bén/ *tou*dou bén
Super !	Tudo legal!	*tou*dou **lé**gaou
Pas si mal...	Nada mau...	**na**da **ma**ou
Pas très bien...	Não muito bem...	**nain**-on **mouï**tou bén
Mal !	Mal!	**ma**ou

Et pour être polie, la personne doit demander en retour comment se porte son interlocuteur/-trice :

Salut, ça va bien ?
Oi, tudo bem?
oï, **tou**dou bén

Ça va bien, et toi ?
Tudo bem, e você?
*tou*dou bén i vo**ssé**

Moi aussi, ça va très bien !
Também estou muito bem!
*tam**bén** esstou **mouï**tou bén*

Ça ne va pas très bien...
Não estou muito bem...
nain-on ésstoou mouïtou bén

Se présenter et présenter quelqu'un

Bonjour, je m'appelle Jean, ça va ?
Oi, eu me chamo Jean, tudo bem?
oi, éou mi chainmou jean, toudou bén

Très bien. Et toi ?
Tudo bem. E você?
toudou bén. i vossé

Mais si vous vous présentez à l'accueil d'un lieu, par exemple, inutile de demander à la personne à laquelle vous vous adressez si elle va bien. Dites plutôt :

Bonjour, je m'appelle Jean Dupont, j'ai réservé une chambre.
Bom dia, meu nome é Jean Dupont, eu reservei um quarto.
bon djia, méou nomi è Jean Dupont, éou rézérvéï oun kouartou

Pour présenter quelqu'un :

Anne, je te présente Jean.
Anne, este é o Jean.
Ainne ésstchi è ou Jean

Dans les situations formelles, utilisez le nom de famille, si vous le connaissez :

Anne, je te présente M. Jean Dupont.
Anne, este é o Senhor Jean Dupont.
Ainne ésstchi è ou sségnor Jean Dupont

Je m'appelle...	Eu me chamo...	*éou mi **chain**mou*
Je me nomme...	Meu nome é...	*méou **no**mi è...*
Comment tu t'appelles ?	**Como você se chama?**	*__ko__mou vossé ssi **chain**ma*
Quel est ton nom ?	**Qual é o teu nome?**	*__koua__ou è ou **téou no**mi*
Il/elle s'appelle...	**Ele/ela se chama...**	*éli/**èla** ssi **chain**ma*
Son nom est... (à lui ou à elle)	**O nome dele(a) é...**	*ou **no**mi **dé**li / **dè**la è...*
Quel est son nom (à lui ou à elle) ?	**Qual é o nome dele(a)?**	*__koua__ou è ou **no**mi **dé**li / **dè**la*

Echanté(e) de faire ta/votre connaissance !

Prazer em conhecê-lo(a)!

*prazér én kongné**ssé**lou/kogné**ssé**la*

Les degrés de proximité :

Les premiers contacts et les conversations s'établissent facilement, et c'est par ce biais qu'au Brésil on se fait des **amigos**
[a**mi**gouss], *amis*, presque chaque jour ! Une petite conversation
dans un autobus ou quelques jours à la plage sont suffisants pour
se faire des amis pour la vie... ou pour quelques heures ! En cas
de relation amoureuse stable, le ou la partenaire se dit **namo-
rado/namorada**, [namo**ra**dou/namo**ra**da].

C'est mon/ma... *C'est un/une...*	**Ele é meu.../Ela é minha...** **É um/É uma...**	*éli è **mé**ou.../ela é **mi**gna... è oun/è ouma*
ami/amie.	**amigo/amiga.**	*a**mi**gou/a**mi**ga*
amoureux/amoureuse.	**namorado/ namorada.**	*namo**ra**dou/ namo**ra**da*
connaissance.	**conhecido/ conhecida.**	*kongné**ssi**dou/ kogné**ssi**da*
copain/copine.	**colega.**	*ko**lè**ga*

Petite curiosité : **Seu**, littéralement "son" en français est un raccourci de **Senhor** (il n'existe pas d'équivalent pour **Senhora**). On emploie généralement cette forme lorsque l'on s'adresse à une personne plus âgée.

Les Brésiliens font rarement référence à une personne en utilisant uniquement son nom de famille. Dans des situations formelles, utilisez plutôt le prénom suivi du nom.

Dire d'où l'on vient

N'hésitez pas à dire d'où vous venez ! Même si beaucoup de Brésiliens ne le savent pas, ils ont, en grande partie, des origines étrangères !

Je suis...	**Eu sou...**	*éou* ***sou****...*
belge.	**belga.**	***bèou****ga*
canadien/-ne.	**canadense.**	*kana****dén****ssi*
français/-e.	**francês/francesa.**	*frain****sséss****/frain****sséza***
réunionnais/-e.	**reunionês/ reunionesa.**	*réounio****néss****/ réounio****neza***
sénégalais/-e.	**senegalês/ senegalesa.**	*ssénéga****léss****/ ssénéga****léza***

Je viens de/du...	**Eu venho (da/do)...**	*éou* ***vég****nou (da/dou)...*
Je vis au/en...	**Eu moro (no/na)...**	*éou* ***mò****rou (nou/na)...*
Belgique.	**(da/na) Bélgica.**	*(da/na)* ***bèou****gika*
Canada.	**(do/no) Canadá.**	*(dou/nou) kain-na****dà***
France.	**(da/na) França.**	*(da/na) frain****ssa***
Luxembourg.	**(do/no) Luxemburgo.**	*(dou/nou) louchén****bour****gou*
Mali.	**(do/no) Mali.**	*(dou/nou)* ***mà****li*
Sénegal.	**(do/no) Senegal.**	*(dou/nou) sséné****ga****ou*

Dire son âge

Parler de son âge ou demander son âge à quelqu'un n'est pas vraiment un tabou au Brésil.

Quel âge as-tu/a-t-il/a-t-elle ?
Quantos anos você/ele/ela tem?
kouaintouss **ain**-nouss vo**ssé**/éli/**è**la tén

Quel âge avez-vous ?
Quantos anos o senhor/a senhora tem?
kouaintouss **ain** nouss ou ss**ó**gnor/a ss**ó**gnora tón

Si vous ne voulez pas dire votre âge, mieux vaut savoir le dire !

Je préfère ne pas dire mon âge…
Eu prefiro não dizer a minha idade…
éou pré**fi**rou **nain**-on dizér a mi**gna** i**da**dji

J'ai…	Tenho…	*tégnou*
Il/Elle a…	Ele/ela tem…	*éli/**è**la tén*
26 ans.	**26 anos.**	**vïn**tchi sséïss **ain**-nous

Pour formuler d'autres réponses, reportez-vous aux rabats où une liste de nombres vous est donnée.

Quelle est ta date de naissance ?
Qual é a tua data de nascimento?
kouaou è a **toua data** dji nassi**mén**tou

Je suis né(e) le 22 mars 1976.
Nasci no dia 22 de março de 1976.
*na*ssi nou djia **vïn**tchi doïss dji **mar**ssou dji miou nové**ssén**touss i ssé**tén**ta i **ssé**ïss

Ton anniversaire, c'est quand ?
Quando é teu aniversário?
kouandou è téou anivér**ssà**riou

Le 22 mars.
Dia 22 de março.
djia **vïn**tchi doïss dji **mar**ssou

Famille

La notion de famille et les relations familiales au Brésil sont souvent liées au partage et au vivre-ensemble.

Je suis…	Eu sou…	*éou* **soou***…*
célibataire.	solteiro(a).	*ssoou***téï***rou/soou***téï***ra*
divorcé(e).	divorciado(a).	*divorssi***a***dou/ divorssi***a***da*
fiancé(e).	noivo(a).	**noï***vou/***noï***va*
marié(e).	casado(a).	*ka***za***dou/ka***za***da*
veuf/veuve.	viúvo(a).	*viou***vou***/viou***va*

Je suis son/sa… / C'est mon/ma…	Eu sou seu/sua… / Ele(a) é meu/minha…	*éou* **sséou***/***soou***a… / éli/èla è méou/migna…*
gendre/belle-fille.	genro/nora.	**gén***rou/***nò***ra*
beau-père/belle-mère.	sogro/sogra.	**sso***grou/***ssò***gra*
beau-frère/belle-soeur.	cunhado/cunhada.	*koug***na***dou/koug***na***da*

cousin/cousine.	primo/prima.	*primou/**pri**ma*
mari/femme.	marido/mulher.	*maridou/mou**lièr***
fiancé(e).	noivo/noiva.	*no**ï**vou/**no**ïva*
fils/fille.	filho/filha.	*fi**liou/fi**lia*
grand-père/ grande-mère.	avô/avó.	*avo/av**ò***
père/mère.	pai/mãe.	*paï/**main**ing*
petit-fils/petite-fille.	neto/neta.	***nè**tou/**nè**ta*
frère/soeur.	irmão/irmã.	*ir**main**-on/ir**main***
oncle/tante.	tio/tia.	*t**iou/t**ia*

Emploi et études

Qu'est-ce tu fais dans la vie ?
O que você faz da vida?
*ou ké vo**ssé fà**ss da **vi**da*

Tu travailles dans quel secteur ?
Você trabalha com o que?
*vo**ssé** tra**ba**lia kon ou ké*

Les Brésiliens font très rarement référence au niveau de hiérarchie qu'ils occupent concernant leur activité professionnelle (cadre, employé, etc.), ils parlent de leur activité proprement dite :

Je suis…	Eu sou…	*éou **so**ou…*
acteur/actrice.	ator/atriz.	*ator/a**triss***
agriculteur/-trice.	agricultor(a).	*agri**kou**outor(a)*
artiste.	artista.	*ar**tiss**ta*
chef d'enterprise.	empresário(a).	*énpré**zà**riou/énpré**za**ria*
consultant(e).	consultor(a).	*konssou**tor**(a)*

étudiant(e).	estudante.	*ésstou**dain**tchi*
femme au foyer.	**dona de casa.**	***do**na dji **ka**za*
ingénieur.	**engenheiro(a).**	*éngég**néï**rou/ éngég**néï**ra*
médecin.	**médico/médica.**	***mè**dikou/**mè**dika*
professeur, instituteur/-trice.	**professor/professora.**	*profé**ssor**(a)*
vendeur/-euse.	**vendedor(a).**	*véndé**dor**(a)*

Je suis à la recherche d'un emploi.

Eu estou à procura de trabalho.

*éou éss**to**ou a pro**kou**ra dji tra**ba**liou*

Je suis sans emploi.

Eu estou desempregado/desempregada.

*éou éss**to**ou dézénpré**ga**dou/dézénpré**ga**da*

Vous pouvez aussi faire référence à votre lieu de travail :

Je travaille (dans)...	**Eu trabalho em...**	*éou tra**ba**liou én...*
une boutique.	**uma loja.**	*ouma **lò**ja*
une école.	**uma escola.**	*ouma éss**kò**la*
une entreprise.	**uma empresa.**	*ouma én**pré**za*
une ferme.	**uma fazenda.**	*ouma fa**zén**da*
un hôpital.	**um hospital.**	*oun osspi**ta**ou*
un théâtre.	**um teatro.**	*oun té**a**trou*
une université.	**uma universidade.**	*ouma ounivérssi**dà**dji*
à la maison.	**casa.**	***ka**za*

Je suis en 1ʳᵉ/2ᵉ/3ᵉ année de...	**Eu estou no primeiro/segundo/ terceiro ano de...**	*éou éss**to**ou nou pri**méï**rou/ssé**goun**dou/ tér**sséï**rou **ain**-nou dji...*
droit.	**direito.**	*di**réï**tou*

langues.	letras.	*létrass*
médecine.	medicina.	*médissina*
physique.	física.	*fizika*
sciences humaines.	ciências humanas.	*ssiénssïass humain-nass*
sciences politiques.	ciências políticas.	*ssiénssïass politikas*

J'étudie dans une école d'art/de commerce/de journalisme.
Eu estudo em uma escola de arte/de comércio/de jornalismo.
éou ésstoudou én ouma ésskola dji artchi/dji komèrssiou/dji jornalissmou

Religion et traditions

Le Brésil n'est pas un pays catholique, mais laïque. Même si le catholicisme occupe une place majeure, du fait d'influences culturelles diverses, de multiples religions se côtoient, sans pour autant que celles-ci ne soient des barrières pour tisser des liens professionnels, d'amitié ou même amoureux !

Tu es.../Vous êtes... ?	Você é...?	*vossé è...*
athée	ateu/ateia	*atéou/atèïa*
catholique	católico(a)	*katòlikou/katòlika*
juif/juive	judeu/judia	*joudéou/joudia*
musulman(e)	muçulmano(a)	*moussououmain-no(a)*
protestant(e)	protestante	*protésstaintchi*
spirite	espírita	*ésspìrita*
un/une fidèle de la religion umbanda ?	fiel a religião umbanda?	*fièou a réligiain-on ounbainda*

église	igreja	*igréja*
imam	imame	*imain-mi*
mosquée	mesquita	*mésskita*

rabin	**rabino**	*rabinou*
synagogue	**sinagoga**	*ssina**gò**ga*
pope	**papa**	***pa**pa*
prêtre	**padre**	***pa**dri*
temple	**templo**	***tén**plou*

Vous êtes croyant ?
Você tem alguma crença?
*vo**ssé** ten aou**gou**ma **krén**ssa*

Légendes Brésiliennes

Racontez-moi une légende !
Conte-me uma lenda!
***kon**tchimi ouma **lén**da*

Les légendes sont nombreuses au Brésil du fait de la diversité des origines du peuple brésilien. Elles sont souvent liées à des personnages folkloriques et sont très ancrées dans les régions, leur histoire et leurs influences. De même, le folklore a influencé certaines comptines pour enfants et même la littérature. En voici un exemple intéressant :

Caipora *[kaïpora]* est une légende qui est née du contact des Blancs avec les Indiens. Caïpora serait un gardien de la forêt qui aurait le pouvoir de contrôler le soleil, sa particularité étant… d'avoir les pieds à l'envers ! Dans certaines régions du Brésil, il est nommé Curupira.

Le temps qu'il fait

Dans un pays aussi grand et tropical que le Brésil, *la météo*, **a previsão do tempo**, est plus fiable en ce qui concerne les températures qu'en ce qui concerne les prévisions de pluie !

Aujourd'hui...	Hoje...	oji...
il fait chaud.	está calor.	*éss**tà** ka**lor***
il fait froid.	está frio.	*éss**tà** **friou***
il ne fait pas beau.	está feio.	*éss**tà** **féïou***
il pleut.	está chovendo.	*éss**tà** cho**vén**dou*
Il y a du soleil.	tem sol.	*tén **sòou***

Demain, quel temps va-t-il faire ?
Amanhã o tempo será como?
*amag**nain** ou ténpou ssérà **ko**mou*

chaud ?	calor?	*ka**lor***
froid ?	frio?	***fri**ou*
pluvieux ?	chuvoso?	*chou**vo**zou*

Sentiments et opinions

J'adore !	Adoro!	*a**dò**rou*
J'aime.	Amo.	***ain**-mou*
Je déteste !	Detesto!	*dé**tèss**tou*
Je n'aime pas.	Não gosto.	***nain**-on **gòss**tou*
Je suis d'accord.	Eu concordo.	*éou kon**kòr**dou*
Je ne suis pas d'accord	Eu não concordo	*éou **nain**-on kon**kòr**dou*

Je kiffe ! - Vous avez des équivalents de cette expression familière avec les expressions suivantes :
É da hora! *[è da òra]* – dans l'État de São Paulo ;
É maneiro! *[è manéïrou]* – à Rio de Janeiro.

J'ai adoré.	**Adorei.**	*adòréï*
J'ai aimé.	**Amei.**	*améï*
Je n'ai pas aimé.	**Não gostei.**	*nain-on gòsstéï*
J'ai détesté.	**Detestei.**	*détèsstéï*

Moi aussi.
Eu também!
Eou tainbén

Moi non plus.
Eu também não!
éou tainbén nain-on

Ce concert est très ennuyeux.
Este show está muito chato.
ésstchi choou ésstà mouïtou chatou

Ce restaurant n'est pas génial.
Este restaurante é uma droga.
ésstchi résstaouraintchi è ouma dròga

Invitation, visite

Si vous partez au Brésil et que vous connaissez quelqu'un sur place, y compris l'ami d'un ami, il est fort probable que vous serez invité à dîner, à déjeuner, voire même que l'on vous proposera de vous héberger. N'hésitez pas à inviter vous aussi vos connaissances et amis brésiliens à boire un verre, à dîner au restaurant ou à leur faire découvrir les traditions culinaires de votre pays !

J'aimerais t'inviter (vous inviter) à/pour...	**Eu gostaria de convidar você para...**	*éou gosstaria dji konvidar vossé para*
aller à la plage.	**ir à praia.**	*ir a praïa*
aller au bar.	**ir num bar.**	*ir noun bar*
aller au cinéma.	**ir ao cinema.**	*ir aou ssinéma*
déjeuner au restaurant.	**almoçar no restaurante.**	*aoumossar nou résstaouraintchi*
déjeuner chez moi.	**almoçar na minha casa.**	*aoumossar na migna kaza*
dîner au restaurant.	**jantar no restaurante.**	*jaintar nou résstaouraintchi*
dîner chez moi.	**jantar na minha casa.**	*jaintar na migna kaza*
mon anniversaire.	**meu aniversário.**	*méou anivérssàriou*
t'héberger / vous héberger chez moi.	**hospedar-se na minha casa.**	*osspédarssi na migna kaza*
voyager avec moi.	**viajar comigo.**	*viajar komigou*

Tu es/vous êtes d'accord ?
Você aceita?
vossé asséïta

Bien sûr, avec plaisir !
Claro, com prazer!
klarou kon prazér

Merci pour l'invitation !
Obrigado(a) pelo convite!
obrigadou/obrigada pélou konvitchi

Non, merci, ce sera pour une prochaine fois.
Não, obrigado(a), fica para uma próxima vez.
nain-on obrigadou/obrigada fika para ouma pròssima véss

Je suis désolé(e), je ne peux pas à cette date-là.
Desculpe, eu não posso nesta data.
*déss**kou**oupi, éou **nain**-on **pò**ssou **néss**ta **da**ta*

Un rendez-vous ?

On se voit quand / à quelle heure ?
Nos vemos quando / a que horas?
*noss **vé**mouss **kouan**dou / a ké **ò**ras*

Aujourd'hui je ne peux pas, j'ai déjà un rendez-vous.
Hoje eu não posso, já tenho um encontro.
*oji éou **nain**-on **pò**ssou jà tegnou oun én**kon**trou*

On se voit où ?
A gente se vê onde?
*a **gén**tchi ssi vé **on**dji*

Vous pouvez me donner l'adresse ?
Você pode me dar o endereço?
*vo**ssé pò**dji mi dar ou éndé**ré**ssou*

On se voit pour... ?	A gente se vê para...?	a **gén**tchi ssi vé **pa**ra
aller au cinéma	ir no cinema	ir nou ssi**né**ma
boire une bière	beber uma cerveja	bé**bér** ouma ssér**vé**ja
faire des courses	fazer compras	fa**zér kon**pras
prendre un café	tomar um café	to**mar** oun ka**fè**
se promener	passear	pas**sé**ar

L'amour

Ce n'est pas parce qu'il est facile de se faire des amis au Brésil qu'il est également facile de sortir avec quelqu'un ! Plaire fait partie de la culture brésilienne... Mais méfiez vous des signaux mal interprétés !

Tu es.../Il,elle est...	Você/ele/ela é...	vossé/éli/èla è
beau/belle.	bonito(a), lindo(a).	bonitou/bonita lïndou/lïnda
canon (m./f.).	muito bonito(a).	mouïtou bonitou/bonita
charmant(e).	charmoso(a).	charmozo/charmòza
collant(e).	pegajoso(a).	pégajozo/pégajoza
drôle.	engraçado(a).	éngrassadou/ éngrassada
mignon/-ne.	bonitinho(a).	bonitignou/ bonitigna
moche.	feio(a).	féïou/féïa
rasoir.	chato(a).	chatou/chata
sexy.	sexy.	ssèkssi

Je suis sorti(e) avec...
Eu saí com...
éou saï kon

C'est un(e) dragueur/-euse !
Ele/ela é um xavequeiro(a)!
éli/èla è oun chavékéïrou/chavékéïra

J'ai couché avec...
Eu dormi com... / Eu trancei com...
éou dormi kon... / éou trainzéi kon...

J'ai un faible pour lui/elle !
Estou caída por ele/ela!
ésstoou kaïda por éli/èla

Je suis amoureux/-se !
Estou apaixonado(a)!
ésstoou apaïchonadou(a)

Je t'aime !
Eu te amo!
éou tchi ainmou

Je veux t'embrasser...
Eu quero te beijar...
éou kèrou tchi béïjar

Je veux être ton (ta) petit(e)-ami(e).
Quero ser teu (tua) namorado(a).
kèrou sér téou (toua) namoradou/namorada

Laisse-moi !
Sai pra lá!
ssai prà là

T'es à côté de la plaque !
Não viaja!
nain-on viaja

J'ai pris un râteau...
Levei um fora...
lévéï oun fòra

Les homosexuels, femmes ou hommes, ont la vie dure dans les petits villages. Ce n'est heureusement pas le cas dans les grandes villes comme São Paulo, Rio de Janeiro ou Salvador, dans lesquelles les communautés ont pu s'organiser et où il existe différentes associations mais aussi bars, boîtes de nuit et autres lieux de convivialité à destination de la communauté gay, généralement localisés dans un seul quartier.

↗ **Temps, dates et fêtes**

Dire l'heure

heure	hora	*òra*
demi-heure	meia-hora	*méïa òra*
minute	minuto	*minoutou*
seconde	segundo	*sségoundou*

Il existe deux façons pour dire l'heure. La première option est valable pour les heures + 35 minutes ; la deuxième est valable dans tous les cas :

• soit l'on dit *trois heures moins le quart*, qui se dit littéralement "quinze pour les trois" : **quinze**, *quinze*, suivi de **para**, *pour*, et **as três**, *les trois* = **quinze para as três**.

• soit l'on dit *deux heures quarante-cinq* (littéralement "deux et quarante et cinq") : **duas e quarenta e cinco**.

On emploie toujours le pluriel : **Que horas são ?**, littéralement "quelles heures ce sont ?", même si la réponse est au singulier : **é uma hora**, *il est une heure*.

En revanche, l'auxiliaire **ser** de la réponse s'accorde toujours avec le nombre d'heures en question : **é uma hora**, **é meio-dia**, **são duas horas**, **sao três horas**…

Il n'est pas nécessaire de dire le mot **hora**, *heure*, après le nombre d'heures quand il est suivi de minutes : **duas e vinte**. Mais pour *une heure* ou *deux heures* par exemple, il faut dire **uma hora**, **duas horas**.

Les Brésiliens emploient le système numérique sur douze et sur vingt-quatre heures, vous pouvez donc dire : *Il est vingt-trois heures*, **são vinte e três horas**, mais aussi : *Il est onze heures du soir*, **são onze da noite**.

Quelle heure est-il ?
Que horas são?
*ké **òrass** **ssain**-on*

Il est sept heures et demie.
São sete e meia.
***ssain**-on **ssè**tchi i **méï**a*

Il est une heure quarante.
É uma e quarenta.
*è ouma i koua**rén**ta*

Il est deux heures moins vingt.
São vinte para as duas.
***ssain**-on **vïn**tchi **pa**ra ass douass*

Il est midi.
É meio-dia.
*è **méï**ou djia*

Il est minuit.
É meia-noite.
*è **méï**a **no**ïtchi*

Dire une date

Pour écrire une date, les Brésiliens mettent d'abord le chiffre du jour + la préposition **de** + le mois + la préposition **de** + l'année (si nécessaire). Ce qui donne par exemple :

3 octobre 2012
3 de outubro de 2012
tréïss dji ooutoubrou dji doïss miou i dozi

Mais pour répondre à la question "Quel jour sommes-nous?", vous avez d'autres possibilités pour dire la date :

Quel jour sommes-nous?
Que dia é hoje?
ké djïa è oji

Nous sommes le lundi 3 octobre 2012.
Hoje é segunda-feira, dia 3 de outubro de 2012.
oji è sségounda féïra djïa tréïss dji ooutoubrou dji doïss miou i dozi

Aujourd'hui, on est lundi.
Hoje é segunda-feira.
oji è sségounda féïra

Aujourd'hui, on est le 28 avril.
Hoje é dia 28 de abril.
oji è djïa vintchi oïtou dji abriou

Vocabulaire du temps, des jours et des saisons

Les jours de la semaine :

lundi	segunda-feira	sségounda féïra
mardi	terça-feira	térssa féïra
mercredi	quarta-feira	kouarta féïra
jeudi	quinta-feira	kïnta féïra
vendredi	sexta-feira	sséssta féïra
samedi	sábado	ssàbadou
dimanche	domingo	domïngou

Remarque : les Brésiliens font généralement commencer la semaine par le dimanche, suivant la séquence des événements bibliques. Par ailleurs, le mot **feira** est souvent sous-entendu. On peut donc dire **segunda**, **terça**, etc.

Les mois :

janvier	janeiro	jain-néïrou
février	fevereiro	févéréïrou
mars	março	marssou
avril	abril	abriou
mai	maio	maiou
juin	junho	jougnou
juillet	julho	jouliou
août	agosto	agosstou
septembre	setembro	sséténbrou
octobre	outubro	ooutoubrou
novembre	novembro	novénbrou
décembre	dezembro	dézénbrou

Quelques locutions et adverbes :

actuellement	atualmente / hoje em dia	atouaou**mén**tchi / oji en djia
après	depois	dé**poïss**
après-demain	depois de amanhã	dé**poïss** dji amag**nain**
aujourd'hui	hoje	oji
avant	antes	**ain**tchiss
avant-hier	anteontem	ainti**on**tén
bientôt	logo	**lò**gou
brièvement	brevemente	brévé**mén**tchi
ce matin	esta manhã	**èss**ta maq**nain**
de temps en temps	de vez em quando	dji véss én **kouan**dou
déjà	já	jà
demain	amanhã	amag**nain**
hier	ontem	**on**tén
jamais	nunca/jamais	**noun**ka/ja**maï**ss
maintenant	agora	a**gò**ra
la nuit	à noite	a **noï**tchi
parfois	às vezes	ass **vé**ziss
plus jamais	nunca mais	**noun**ka **ma**ïss
sous peu	em breve	én **brè**vi
tard	tarde	**tar**dji
tôt	cedo	**ssé**dou
toujours	sempre	**ssé**npri
tous les jours	todos os dias	**to**douss ouss djiass
tout à coup	de repente	deré**pén**tchi

année	ano	**ain**-nou
tombée du jour	entardecer	éntardé**ssér**
coucher du soleil	**pôr-do-sol**	por dou **sò**ou
se coucher tard	**dormir tarde**	dor**mir tar**dji
se coucher tôt	**dormir cedo**	dor**mir ssé**dou
hebdomadaire	**semanalmente, semanal**	ssémain-naou**mén**tchi, ssémain-**na**ou
jour	**dia**	djia
nuit	**madrugada**	madrou**ga**da
lever du jour	**amanhecer**	amag**néssér**
se lever tard	**acordar tarde**	akor**dar tar**dji
se lever tôt	**acordar cedo**	akor**dar ssé**dou
mois	**mês**	méss
semaine	**semana**	ssé**main**-na
week-end	**fim de semana**	fin dji ssé**main**-na

Dans le Nord et le Nord-Est du pays, il n'y a presque pas de différence entre l'été et l'hiver : on parle de saison humide ou de saison sèche.

Dans le Sud, il peut faire assez froid et les saisons sont plus marquées.

Les saisons

l'été	verão	vé**rain**-on
l'automne	**outono**	oou**to**nou
l'hiver	**inverno**	ïn**vér**nou
le printemps	**primavera**	prima**vè**ra
saison humide	**estação chuvosa**	éssta**ssain**-on chou**vò**za
saison sèche	**estação seca**	éssta**ssain**-on **ssé**ka

Jours fériés

Selon la dernière actualisation, il y a 16 jours fériés au Brésil (deux jours fériés sont dévolus au Carnaval) :

1er janvier	Jour de l'an	**Confraternização universal**
selon le calendrier	Carnaval	**Carnaval**
~	Mercredi des cendres	**Quarta-feira de Cinzas**
~	Passion du Christ	**Paixão de Cristo**
21 avril	Fête de Tiradentes	**Tiradentes**
1er mai	Fête du travail	**Dia Mundial do Trabalho**
7 juin	Corpus Christi	**Corpus Christi**
7 septembre	Fête de l'Indépendance	**Independência do Brasil**
12 octobre	Fête de Notre-Dame d'Aparecida	**Nossa Senhora Aparecida**
28 octobre	Jour des Employés du service public	**Dia do Servidor Público**
2 novembre	Toussaint	**Finados**
15 novembre	Proclamation de la République	**Proclamação da República**
24 décembre	Veille de Noël	**Véspera de Natal**
25 décembre	Noël	**Natal**
31 décembre	Veille du Jour de l'an	**Véspera de Ano-Novo**

Petites remarques sur des fêtes spécifiques au Brésil :

Le carnaval : Il change de date tous les ans, en fonction de Pâques ! Il a lieu 47 jours avant Pâques, il tombe donc souvent en février ou mars. Notez que, suivant les régions du Brésil, la célébration du carnaval est très différente

À Rio et São Paulo, la fête se prépare sur les terrains de chaque **escola de samba**, *école de samba*, pendant toute l'année. Les jours de concours, les danseurs se rendent dans un lieu conçu spécifiquement pour les défilés. Pour y participer, il faut arriver soit très en avance afin d'acheter un déguisement qui vous permettra de défiler, soit acheter un billet et profiter du spectacle en tant que spectateur.

Dans l'État de Bahia, le carnaval peut durer un mois complet !
Les trios elétricos (camions-enceintes qui se déplacent avec un groupe de musiciens) parcourent la ville de Salvador pendant toute la nuit et les participants les suivent en dansant !
La musique est très différente de celle du carnaval du Sud-Est : c'est *l'Axé Music* !

La ville d'Olinda a un carnaval beaucoup plus traditionnel : tout se passe dans la rue, avec quelques petits groupes de musique et des marionnettes géantes qui défilent.

En Amazonie le carnaval se déroule en juin, c'est la fête de **Parintins**, une ville de l'État de l'Amazonas.

En revanche, dans le Sud du Brésil, vous aurez plus de mal à trouver une fête de carnaval traditionnelle ; souvent, les célébrations sont inspirées de celles de Rio ou de São Paulo, en moins fastueux.

↗ **Appel à l'aide**

En cas de besoin, les téléphones publics sont dotés de touches spécifiques pour les numéros d'urgence. Voici les principaux :

190	Police
192	SAMU
193	Pompiers

Urgence

Au secours !
Socorro!
ssokoRou

Aidez-moi, s'il vous plaît !
Por favor, preciso de ajuda!
por favor, préssizou dji ajouda

Je suis blessé(e) !
Estou ferido(a)!
ésstoou féridou/férida

Sur la route

S'il est vrai que les routes dans certains États sont très bien entretenues, il faut savoir que ce sont des routes privatisées et donc, le prix des péages y contribue. Hormis celles-ci, les routes sont en général de très mauvaise qualité et conduire dans ces conditions s'avère presque une aventure. Nous vous exhortons à la prudence !

J'ai eu un accident.
Sofri um acidente.
ssofri oun assidéntchi

Il y a un(e) blessé(e) !
Tem um ferido/uma ferida!
tén oun féridou/ouma férida

↗ Écriteaux, panneaux et sigles

Panneaux de signalisation

Certains panneaux sont différents de ceux que vous avez l'habitude de cotôyer, il vaut mieux savoir que :

- un grand "E" barré une fois = interdiction de stationner ;

- un "E" barré deux fois = interdiction de s'arrêter ;

- un "E" seul = stationnement autorisé ;

- **PARE** = stop ;

- enfin, une flèche noire barrée en rouge = sens interdit.

Attention, la priorité à droite n'existe pas au Brésil ! Vous trouverez parfois un panneau vous intimant de vous arrêter à certains carrefours, sinon… il vaut mieux conduire lentement et surveiller attentivement les voitures qui peuvent croiser votre chemin !

Écriteaux

départ	**saída**	*sa**ì**da*
arrivée	**chegada**	*ché**ga**da*
ouvert	**aberto**	*a**bèr**tou*
fermé	**fechado**	*fé**cha**dou*
tirez	**puxe**	***pou**xe*
poussez	**empurre**	*énpou**Ri***

rez-de-chausée	térreo	*tèReou*
étage	**andar**	*ain**dar***
sortie de secours	**saída de emergência**	*saìda dji émér**gén**ssia*
toilettes pour femmes	**banheiro feminino**	*ba**gné**ïrou fém**i**ninou*
toilettes pour hommes	**banheiro masculino**	*ba**gné**ïrou masskou**li**nou*

En ce qui concerne les toilettes, vous pouvez trouver la version anglaise : **W.-C.** ou même la version française sans le "s" à la fin : **toilette** !

Sigles et abréviations courantes

Avenue	**Av.**
Docteur	**Dra.** (féminin) **Dr.** (masculin)
Madame	**Sra.**
Mademoiselle	**Srta.**
Monsieur	**Sr.** ou **Seu**
Rue	**R.**
Saint	**S.** (São)

Les sigles les plus importants à connaître sont ceux des États du Brésil :

AC	Acre	DF	Distrito Federal
AL	Alagoas	ES	Espírito Santo
AP	Amapá	GO	Goiás
AM	Amazonas	MA	Maranhão
BA	Bahia	MT	Mato Grosso
CE	Ceará	MS	Mato Grosso do Sul

MG	Minas Gerais		RS	Rio Grande do Sul
PA	Pará		RO	Rondônia
PB	Paraíba		RR	Roraima
PR	Paraná		SC	Santa Catarina
PE	Pernambuco		SP	São Paulo
PI	Piauí		SE	Sergipe
RJ	Rio de Janeiro		TO	Tocantins
RN	Rio Grande do Norte			

↗ Voyager

La superficie du Brésil est telle qu'on pourrait y faire rentrer presque toute l'Europe. Cette grande étendue territoriale présente des environnements très divers : Il y en a pour tous les goûts !

Les déplacements se font principalement en bus et en voiture. Les trains de voyageurs sont rares et l'avion est assez cher pour la population locale mais il est fatiguant et long de couvrir de grandes distances en bus ou en voiture. Il donc vaut mieux prendre l'avion, quand on peut se le permettre.

Contrôle de passeport et douane

Pour toute question concernant l'obtention d'un visa, nous vous conseillons de vous renseigner directement auprès des autorités consulaires de votre pays.

Votre passeport, s'il vous plaît.
Por favor, o passaporte.
*por fa**vor** ou passa**pòr**tchi*

Votre formulaire, s'il vous plaît.
O formulário, por favor.
*ou formou**là**riou por fa**vor***

Le voici.
Aqui está.
*aki éss**tà***

Vous pouvez ouvrir votre valise, s'il vous plaît ?
O senhor/A senhora pode abrir a mala, por favor?
*ou ssé**gnor**/a ssé**gnò**ra **pò**dji abrir a **mà**la por fa**vor***

Vous avez quelque chose à déclarer ?
O senhor/A senhora tem algo à declarar?
*ou ssé**gnor**/a ssé**gnò**ra tén **aou**gou a dékla**rar***

Non, je n'ai rien à déclarer.
Não, não tenho nada à declarar.
nain**-on **nain**-on té**gnou na**da a dékla**rar

Quel est votre pays d'origine ?
Qual é o país de origem?
***koua**ou è ou **pa**ïss dji o**rig**én*

Quel est le motif de votre voyage ?
Qual é o motivo da viagem?
***koua**ou è ou mo**ti**vou da via**g**én*

voyage...	viagem...	viagén
d'études	de estudos	dji éss**tou**douss
à titre privé	particular	partikou**lar**
à titre professionnel	de negócios	dji né**gò**ssiouss
de tourisme	de turismo	dji tou**riss**mou

Je vais...	Eu vou...	éou **vo**ou
étudier...	estudar...	ésstou**dar**
travailler...	trabalhar...	traba**liar**
voyager...	viajar...	via**jar**
pendant 2 mois au Brésil.	durante 2 meses no Brasil.	dou**rain**-tchi doïss **mé**zïss nou bra**ziou**

Change

La monnaie brésilienne est le **real**, *[réao]*. Elle est divisée en pièces de 1, 5, 10, 25, 50 centimes et 1 **real** et en billets de 2, 5, 10, 20, 50 et 100 **reais** *[réaïss]*.

Vous n'aurez pas de difficulté à changer vos devises et vos chèques de voyage dans la plupart des banques et bureaux de change. La carte de crédit est très utile car elle est acceptée presque partout et vous pouvez retirer de l'argent directement dans les distributeurs conçus pour les retraits avec une carte bancaire étrangère.

Quel est le taux de commission ?
Qual é o valor da comissão?
kouaou è ou valor da komissain-on

Quel est le taux de change... ?	Qual é o valor do cambio...?	*koua*ou è ou va**lor** dou **kain**-biou
du dollar américain	do dólar americano	*dou **dòlar** améri**kain**-nou*
du dollar canadien	do dólar canadense	*dou **dòlar** kain-na**dén**ssi*
de l'euro	do euro	*dou **éou**rou*
du franc suisse	do franco suiço	*dou **frain**-kou ssouïssou*

S'il vous plaît, pouvez-vous changer... ?	Por favor, você pode trocar...?	*por favor* vo**ssé pòdji tro**kar*
ce billet par des pièces	esta nota por moedas	*éssta **nòta** por mo**èdas***
ces pièces par un billet	essas moedas por uma nota	*èssas moèdas por ouma **nòta***
ce chèque de voyage	este cheque de viagem	*éss*tchi **chè**ki dji viaqén*
100 euros/ francs/dollars	100 euros/ francos/ dólares	*ssén **éou**rouss/ **frain**-kouss/**dòlar**iss*

En avion

Le transport aérien brésilien est très bien organisé et de bonne qualité. Dans les grandes villes, il existe souvent deux aéroports : un pour les vols nationaux et un autre pour les vols internationaux, mais les aéroports internationaux, souvent plus éloignés, ont des tarifs de vols plus intéressants. Attention à bien vérifier votre aéroport de départ : comme il n'existe pas de ligne de métro ou de train qui les desservent, les trajets peuvent être très longs à cause des embouteillages dans les grandes villes !

Où se trouve... ?	Onde fica...?	*ondji fika*
la douane	a alfândega	*a aou**fain**-déga*
la sortie	a saída	*a ssaída*

la porte d'embarquement	o portão de embarque	ou por**tain**-on dji én**bar**ki
le comptoir d'enregistrement	o check-in	ou chè**king**

J'aimerais avoir une place assise…	**Eu gostaria de um assento…**	*éou gosstaria dji oun asséntou…*
devant.	**na frente.**	*na frén*tchi
au fond.	**no fundo.**	*nou foundou*
côté couloir.	**ao lado do corredor.**	*aou ladou dou koRédor*
côté fenêtre.	**ao lado da janela.**	*aou ladou da janèla*

L'avion part de quel aéroport ? L'aéroport international ?

O avião sai de qual aeroporto? Do aeroporto internacional?

*ou a**viain**-on s**saï** dji **koua**ou a**è**roportou ? dou a**è**roportou ïntérnassio**na**ou*

L'avion est-il en retard ?

O avião está atrasado?

*ou a**viain**-on éss**tà** atra**za**dou*

Comment dois-je faire pour la correspondance ?

Como eu faço com a correspondência?

***ko**mou éou **fa**ssou kon a koRésspon**dén**ssia*

Mes bagages ne sont pas arrivés.

Minhas bagagens não chegaram.

***mig**nass baga**géns nain**-on ché**ga**rain*

Vous devez vous adresser au guichet des réclamations.

A senhora/O senhor deve ir no guichê de reclamações.

*a sség**nò**ra/ou ssé**gnor dè**vi ir nou gui**chê** dji réklain-ma**sso**[ing]**ss***

En autocar et en train

Le train n'est pas un moyen de transport courant, il est surtout utilisé pour les marchandises, même s'il subsiste encore quelques trains touristiques. Dans les grandes villes, il y a souvent un réseau de trains de banlieue… très chargés aux heures de pointe !

Pour les autocars, ceux des grandes lignes partent des gares principales et desservent la grande majorité du territoire.

aller-retour	**ida e volta**	*ida i **vòou**ta*
aller simple	**somente ida**	*ss**ómén**tchi ida*
gare ferroviaire	**estação ferroviária**	*éssta**ssain**-on féRovi**à**ria*
gare routière	**rodoviária**	*rodovi**à**ria*
plein tarif	**tarifa sem desconto**	*tarifa sén déss**kon**tou*
quai	**plataforma**	*plata**fòr**ma*
tarif réduit	**tarifa reduzida**	*tarifa rédou**zi**da*

Combien coûte le billet de train pour… ?
Quanto custa a passagem de trem para…?
***kouain**tou **kouss**ta a pa**ssa**gén dji trén **para**…*

Quels sont les horaires des prochains cars pour… ?
Quais são os horários dos próximos ônibus para…?
***koua**ïss **ssain**-on ouss or**à**riouss douss **prò**ssimouss onibouss **para**…*

Quelle compagnie de bus va à… ?
Qual viação/companhia de ônibus vai para…?
***koua**ou via**ssain**-on/kon**pa**nïa dji **o**nibouss **va**ï **para**…*

En bateau

Le bateau est un système de transport courant en Amazonie et dans les zones côtières, où des bateaux desservent certaines îles.

Est-ce que ce bateau va à… ?
Este barco vai para…?
*ésstchi **bar**kou **vaï p**ara…*

Combien de temps faut-il pour y arriver ?
Quanto tempo leva para chegar?
kouan**tou **tén**pou **lè**va **pa**ra ché**gar

Ce bateau dispose-t-il de cabines ?
Este barco tem cabine?
*ésstchi **bar**kou tén ka**bi**ni*

Est-ce qu'il existe des bateaux rapides pour… ?
Existem barcos rápidos para…?
*éziss**tén bar**kouss **rà**pidouss **p**ara…*

En taxi

Les *taxis*, **taxi**, peuvent être blancs ou jaunes dans certaines villes ; dans les autres cas, ils restent facilement recconaissables au voyant fixé sur le capot du véhicule. Dans certains endroits, les taxis ont un tarif de nuit et un autre de jour appelé **uma bandeirada**, littéralement "un coup de drapeau".

J'aimerais… *s'il vous plaît.*	**Eu gostaria…** **por favor.**	*éou gosstaria…* *por favor*
aller au centre ville	**de ir ao centro da cidade**	*dji ir aou **ssén**trou da ssi**da**dji*
mettre mes valises devant.	**de colocar minhas malas na frente.**	*dji kolo**kar mig**nass **ma**lass na **frén**tchi*

Garez-vous après le feu, s'il vous plaît.

Estacione depois do farol, por favor.

*éssta**ssio**ni dé**poïss** dou fa**rò**ou por fa**vor***

Combien coûte la course pour aller à l'aéroport, s'il vous plaît ?

Quanto custa o trajeto até o aeroporto, por favor?

kouan**tou **kouss**ta ou tra**jé**tou a**té** ou a**é**roportou por fa**vor

Location de voiture

On trouve les agences de location célèbres un peu partout au Brésil, mais dans les plus petites villes renseignez-vous : certains garages font de la location de véhicule à très bon marché.

J'aimerais… *s'il vous plaît.*	**Eu gostaria de…** **por favor.**	*éou gosstaria dji…* *por favor*
louer une voiture	**alugar um carro**	*alou**gar** oun **ka**Rou*
louer une voiture pendant trois jours	**alugar um carro durante três dias**	*alou**gar** oun **ka**Rou dou**rain**-tchi tré**ïss** diias*
une grande voiture	**um carro grande**	*oun **ka**Rou grain-dji*
une voiture diesel	**um carro à diesel**	*oun **ka**Rou a **di**èzeou*

Combien coûte la location… ?	**Quanto custa o aluguel…?**	***kouan**tou **kouss**ta ou alou**gué**ou*
pour un jour	**por um dia**	*por oun djia*
pour un week-end	**por um fim-de-semana**	*por oun fïn dji ssé**main**-na*
pour une semaine	**por uma semana**	*por ouma ssé**main**-na*

Circuler en voiture

En tant que touriste, vous n'êtes pas obligé d'avoir un permis international pour conduire ou louer une voiture.

Si vous circulez beaucoup en voiture au Brésil, vous allez vite remarquer que seules les routes privées ont des systèmes de bornes téléphoniques tous les kilomètres... Il vaut donc mieux avoir un téléphone portable sous la main en cas de problème !

En ville, vous rencontrerez peut-être des personnes qui vous proposeront de garder votre voiture en échange de quelques réais. Sachez que cette pratique est interdite et que vous avez le droit de refuser. En revanche, la fiscalisation concernant ce type d'activité est minime et, souvent, les automobilistes qui ont refusé de payer trouvent la voiture abimée à leur retour... Si vous vous faites aborder pour ce type de service payant, vous avez soit la possibilité d'aller trouver un policier à qui vous le signalerez, soit de payer ou encore de chercher un autre emplacement "non surveillé". De façon générale, dans les grandes villes, vous n'aurez pas de problème pour trouver des aires de stationnement privées et payantes.

Où puis-je trouver un parking ?
Onde eu posso encontrar um estacionamento?
*ondji éou **pò**ssou énkon**trar** oun ésstassiona**mén**tou*

Je n'ai plus d'essence.
Acabou a gasolina.
*aka**bo**ou a gazolina*

Où puis-je trouver une station-service ?
Onde eu posso encontrar um posto de gasolina?
*ondji éou **pò**ssou énkon**trar** oun **poss**tou dji gazo**li**na*

Quelle est la route qui mène à Rio ?
Qual é a estrada que vai para o Rio?
***koua**ou è a és**stra**da ké **va**ï **pa**ra ou **ri**ou*

Vous avez une carte routière ?
Você tem um mapa rodoviário?
*vo**ssé** tén oun **ma**pa rodovi**à**riou*

La voiture est en panne. Où se trouve le garage plus proche ?
O carro quebrou. Onde fica a oficina mais próxima?
*ou **ka**Rou ké**bro**ou. ondji **fi**ka a ofi**ssi**na **ma**ïss **prò**ssima*

Quel est le problème de la voiture ?
Qual é o problema com o carro?
***koua**ou è ou pro**blé**ma kon ou **ka**Rou*

Le pneu est crevé.
O pneu está furado.
*ou pé**né**ou és**stà** fou**ra**dou*

Le moteur a chauffé.
O motor esquentou.
*ou m**otor** éss**kén**toou*

J'ai besoin d'une dépanneuse.
Preciso de um reboque.
*pré**ss**izou dji oun ré**bò**ki*

Ma voiture est en panne au kilomètre
Meu carro está quebrado no quilometro...
*méou **ka**Rou ess**ta** ke**bra**dou nou k**ilo**métrou...*

Vous pouvez réparer la voiture ?
Você pode consertar o carro?
*vo**ssé** p**ò**dji konssér**tar** ou **ka**Rou*

Combien va coûter la réparation ?
Quanto vai custar o conserto?
***kouan**tou vaï kouss**tar** ou kon**ssér**tou*

Est-ce que ce sera fait rapidement ?
Vai ser feito rapidamente?
*vaï ssér **féï**tou rapida**mén**tchi*

Mots utiles

Voici quelques mots utiles en cas de problème avec la voiture ou avec la police routière :

autoroute	**auto estrada**	***a**outou é**sstra**da*
batterie	**bateria**	*baté**ria***
carburant	**combustível**	*konbouss**ti**véou*
contravention	**multa**	***mouou**ta*
garage de réparation de pneus	**borracharia**	*boRacha**ria***
klaxon	**buzina**	*bou**zi**na*
mécanicien	**mecânico**	*mé**kain**-nikou*
moteur	**motor**	*mo**tor***
péage	**pedágio**	*pé**dà**giou*
permis de conduire	**habilitação**	*abilita**ssain**-on*
plan/carte	**mapa**	***ma**pa*
pneu	**pneu**	*pnéou*
réparation	**conserto**	*kon**ssér**tou*
réservoir (d'essence)	**tanque**	***tain**ki*

route	estrada	*éss**tra**da*
station-service	**posto de gasolina**	***poss**tou dji gazolina*
vitesse	**velocidade**	*vélossi**dadji***
vitre	**vidro**	***vi**drou*

Puis-je voir vos papiers et les papiers du véhicule, s'il vous plaît ?
Posso ver os seus documentos e o documento do carro, por favor?
pò**ssou vér ouss séouss dokou**mén**touss i ou dokou**mén**tou dou **ka**Rou por fa**vor

↗ En ville

Les grandes villes et les capitales ne dorment jamais ! Laissez-vous surprendre par les restaurants et supermarchés ouverts toute la nuit, mais ne soyez pas surpris par les embouteillages à des heures peu communes ! Renseignez-vous en ce qui concerne les quartiers à éviter quand on se balade seul ou pendant la nuit. Toutefois, n'hésitez pas à pousser plus loin si vous êtes accompagné par un habitant familier du lieu.

Pour trouver son chemin

Les Brésiliens sont très aimables et seront toujours disposés à vous indiquer le chemin, mais n'hésitez pas à vous informer à nouveau en cours de route, parce qu'il leur arrive souvent de vous indiquer un chemin dont ils ne sont pas très sûrs...

S'il vous plaît, où se trouve... ?	**Por favor, onde fica...?**	*por favor ondji **fi**ka...*
la banque	**o banco**	*ou **bain**-kou*
le cinéma	**o cinema**	*ou ssi**né**ma*

le musée	o museu	ou mou**zé**ou
la pharmacie	a farmácia	a far**mà**ssia
la poste	os correios	ouss ko**Ré**ïouss
le supermarché	o supermercado	ou soupérmér**ka**dou

Excusez-moi monsieur/madame, je cherche/nous cherchons…
Com licença senhor/sehora, procuro/procuramos...
*kon li**ssén**ssa ség**nor**/ség**nò**ra pro**kou**rou/prokou**rain**-mouss...*

C'est tout de suite après la rue là-bas.
Fica logo depois daquela rua.
*fika **lò**gou dé**po**ïss da**kè**la **rou**a*

Continuez tout droit.
Continue sempre em frente.
*konti**nou**i **ssén**pri én **frén**tchi*

Tournez à droite/à gauche.
Vire à direita/à esquerda.
*vi*ri a di**réï**ta/a éss**kér**da

Tournez après le feu.
Vire depois do farol.
*vi*ri dé**po**ïss dou fa**rò**ou

Prenez la deuxième à gauche/à droite.
Vire na segunda à esquerda/à direita.
*vi*ri na ssé**goun**da a éss**kér**da/a di**réï**ta

Pouvez-vous me montrer sur le plan ?
Você pode me mostrar no mapa?
*vo**ssé pò**dji mi moss**trar** nou **ma**pa*

Le métro et le bus

Le métro, **metrô**, est présent dans 7 villes brésiliennes seulement, des capitales de régions uniquement... Les déplacements en bus sont bien plus courants, même si aux heures de pointe ils sont bondés, voire même prêts à exploser ! Les *bus*, **ônibus**, ont tous un *contrôleur*, **cobrador** *[kobrador]*, qui vend les billets. Pour connaître la destination du bus, regardez le nom affiché à l'avant, il indique très souvent le quartier du terminus.

Ce bus passe-t-il à Copacabana ?
Este ônibus passa em Copacabana?
*ésstchi **o**nibouss **pà**ssa én kopaka**bain**-na*

Quel est le prix du billet ?
Qual é o preço da passagem?
***koua**ou è ou **pré**ssou da pa**ssa**gén*

La station de métro est-elle loin d'ici ?
A estação de metrô está longe?
*a éssta**ssain**-on dji mé**tro** éss**tà lon**gi*

Vous avez de quoi changer ce billet ?
Você tem troco?
*vo**ssé** tén **tro**kou*

Quel bus/Quelle ligne dois-je prendre pour aller à... ?
Qual ônibus/Que linha eu devo pegar para ir à...?
***koua**ou **o**nibouss/ké ligna éou dévou pé**gar** para ir a...*

Faut-il faire un changement ?
Eu devo trocar de linha?
*éou **dé**vou tro**kar** dji ligna*

Où se trouve l'arrêt de bus le plus proche ?
Onde fica o ponto de ônibus mais próximo?
*ondji **fi**ka ou **pon**tou dji **o**nibouss **maï**ss **prò**ssimou*

Visite d'expositions, musées, sites

Pour connaître les expositions intéressantes du moment, pro-
curez-vous le journal du dimanche, doté d'un fascicule culturel. Dans les villes petites et moyennes, vous pouvez trouver de
petits musées qui racontent l'histoire locale. Renseignez-vous
auprès de la population.

Est-ce qu'il y a un musée dans la ville ?
Tem um museu na cidade?
*tén oum mou**zé**ou na ssi**da**dji*

Où trouve-t-on des renseignements sur la culture locale ?
Onde eu posso me informar sobre a cultura local?
*ondji éou **pò**ssou mi ïnfor**mar** sobri a kouou**tou**ra lo**ka**ou*

Quel est le sujet de cette exposition ?
Qual é o assunto dessa exposição?
***koua**ou è ou a**ssoun**tou **dè**ssa éksspozi**ssain**-on*

Je voudrais un/deux/trois billets, s'il vous plaît.
Eu gostaria de um/dois/três bilhetes por favor.
*éou gossta**ri**a dji oum/doïss/tréïss bi**lié**tchïss por fa**vor***

Y a-t-il des réductions pour les étudiants ?
Tem desconto para estudante?
*tén djiss**kon**tou **pa**ra ésstou**dain**-tchi*

Y a-t-il un catalogue de l'exposition ?
Tem o catálogo da exposição?
*tén ou ka**tà**logou da éksspozi**ssain**-on*

Quels sont les horaires de visite ?
Quais são os horários das visitas?
***koua**ïss **ssain**-on ouss o**rà**riouss dass vi**zi**tass*

Combien de temps dure la visite ?
Quanto tempo dura a visita?
***kouan**tou **tén**pou **dou**ra a vi**zi**ta*

Est-ce qu'on peut avoir des explications en français ?
Podemos ter explicações em francês?
*po**dé**mouss tér éssplika**sso**[ign]**ss** én frain-**sséss***

Autres curiosités

Saviez-vous que Rio de Janeiro fut pendant un temps la capitale du Portugal, à l'époque où les Portugais tentaient de fuir les troupes de Napoléon ?! Et que la célèbre statue du Christ Rédempteur (**O Cristo Redentor**) est le fruit de la collaboration d'un sculpeur français et d'un ingénieur brésilien ?

Christ Rédempteur	Cristo Redentor	***kriss**tou rédén**tor***
jardin botanique	**jardim botânico**	*jar**din botain** nik**ou*
monuments historiques	**monumentos historicos**	*monou**mén**touss iss**tó**rikouss*

Pain de sucre	Pão de Açúcar	**pain**-on dji a**ssou**kar
réserve naturelle	reserva natural	ré**zér**va natou**ra**ou
thêatre de Manaus	teatro de Manaus	té**a**trou dji ma**na**ouss
viaduc du Chá	viaduto do Chá	via**dou**tou dou chà

À la poste

Pour envoyer une lettre, rendez-vous à *la poste*, **os correios**, en brésilien.

une carte postale	**um cartão postal**	oun kar**tain**-on poss**ta**ou
un courrier en express	**um Sedex**	oun ssé**dè**kss
un colis	**uma embalagem**	ouma énba**la**gén
une lettre	**uma carta**	ouma **kar**ta
service prioritaire	**prioritário**	priori**tà**riou
un timbre	**um selo**	oun ss**é**lou

Je voudrais envoyer une lettre pour la France/le Canada.
Eu quero mandar uma carta para a França/o Canadá.
*éou **kè**rou main-**dar** ouma **kar**ta **pa**ra a **frain**-ssa/ou kain-na**dà***

Quel est le prix pour envoyer ceci ?
Qual é o valor para enviar isso?
***koua**ou è ou va**lor pa**ra énviar ïssou*

Combien de temps faut-il pour que la lettre arrive ?
Quanto tempo leva para a carta chegar?
koua**ntou **tén**pou **lè**va **pa**ra a **kar**ta ché**gar

Au téléphone

Pour appeler d'une ville à l'autre ou d'un État à un autre, on compose le 0 + code opérateur + code indicatif de la ville + numéro de téléphone. Les codes des opérateurs changent d'une région à l'autre, mais le 21 reste national…

annuaire téléphonique	**lista telefônica**	*lissta téléfonika*
carte téléphonique	**cartão telefônico**	*kartain-on téléfonikou*
code indicatif des villes	**código DDD**	*kòdigou dédédé*
communication	**ligação**	*ligassain-on*
téléphone public	**orelhão**	*oréliain-on*
occupé	**ocupado**	*okoupadou*
téléphoner	**telefonar**	*téléfonar*

Je voudrais une carte téléphonique de cent unités.
Eu quero um cartão telefônico de 100 unidades.
*éou **kè**rou oun kar**tain**-on télé**fo**nikou dji ssén ouni**da**djiss*

Allo, j'aimerais parler à…, s'il vous plaît.
Alô, eu gostaria de falar com… por favor.
*a**lo** éou gossta**ri**a dji falar kon… por fa**vor***

À quelle heure est-ce que je peux rappeler ?
Que horas eu posso voltar a ligar?
*ki **ò**rass éou **pò**ssou **vo**outar a li**gar***

Je peux laisser un message ?
Eu posso deixar um recado?
*éou **pò**ssou déï**char** oum ré**ka**dou*

Internet

Les cybercafés sont de plus en plus répandus au Brésil, surtout dans les grandes villes et les centres touristiques. Vous pouvez trouver des connexions Wi-Fi dans les hôtels, les bibliothèques et même dans certains musées.

Est-ce-que vous savez s'il y a un cybercafé par ici ?
Você sabe se tem um cyber-café por aqui?
vossé ssabi ssi tén oum ssaïber-kafè por akì

Combien ça coûte pour une heure ?
Quanto custa a hora?
kouantou koussta a òra

Je voudrais l'utiliser pendant une demi-heure.
Eu quero usar meia-hora.
éou kèrou ouzar méïa-òra

Est-ce-que je peux imprimer un document ?
Eu posso imprimir um documento?
éou pòssou inprimir oun dokuméntou

La souris ne fonctionne pas bien.
O mouse não está funcionando direito.
ou maouzi nain-on ésstà founssionaindou diréïtou

La connexion ne marche pas.
A conexão não funciona.
a konékssain-on nain-on founssiona

Vous avez le Wi-Fi ?
Tem wi-fi?
*tén ouaï-**fai***

Quel est le code d'accès ?
Qual é o código de acesso?
***kou**aou è ou **kò**digou dji a**ssé**ssou*

L'administration

Pour tout ce qui concerne les démarches administratives, rensei-gnez-vous d'abord auprès du consulat, **consulado** *[konssouladou]*, ou de l'ambassade, **embaixada** *[énbaïchada]* de votre pays.

Je cherche le consulat du/de la...
Procuro o consulado do/da...
*pro**kou**rou ou konssou**la**do dou/da...*

J'ai perdu mon passeport.
Perdi meu passaporte.
*pérdji méou passa**pòr**tchi*

En cas de vol ou d'agression, faites une déclaration au poste de police :

agression	agressão	agré**ssain**-on
déclaration	B.O. (boletim de ocorrência)	bé ò (bolé**tïn** dji oko**Rén**ssia)
policier	policial	polissiaou
poste de police	delegacia	délégassia
voleur	ladrão	la**drain**-on

Je veux porter plainte.
Quero dar queixa.
kèrou dar kéïcha

Je me suis fait agresser.
Fui agredido(a).
fouï agrédidou/agrédida

On m'a volé...	Roubaram...	rooubarain...
mon portefeuille.	**minha carteira.**	*migna kartéïra*
mon ordinateur.	**meu computador.**	*méou konpoutador*
mon appareil photo.	**minha máquina fotográfica.**	*migna màkina fotogràfika*

Je voudrais une copie du rapport de police.
Gostaria de obter uma cópia do boletim de ocorrência.
gosstaria dji obtér ouma kòpia dou bolétïn dji okoRénssia

À la banque

Les banques ouvrent, de façon générale, du lundi au vendredi de 10 h à 16 h.

Où y a-t-il...	Onde tem...	ondji tén...
une banque ?	**um banco?**	*oun bain-kou*
un distributeur automatique ?	**um caixa eletrônico?**	*oun kaïcha élétronikou*

Je souhaite...	Eu gostaria de...	éou gosstaria dji...
déposer un chèque.	**depositar um cheque.**	*dépozitar oun chèki*
échanger ce billet contre de la monnaie.	**trocar essa nota por moeda.**	*trokar èssa nota por moèda*
faire un retrait d'argent.	**fazer um saque.**	*fazér oun ssaki*
faire un virement.	**fazer um depósito.**	*fazér oun dépòzitou*

Sorties au cinéma, au théâtre, concerts

Si la musique, qui fait partie du quotidien des Brésiliens, est présente partout dans le pays, le cinéma ou le théâtre restent un privilège des citadins des très grandes villes. En revanche, les concerts et shows divers, eux, sont nombreux !

Où est-ce que je peux voir un concert ?
Onde posso ver um show?
*ondji **pò**ssou vér oun **cho**ou*

Quel est le style de musique jouée à ce concert ?
Qual é o estilo de música deste show?
***koua**ou è ou é**ss**tilou dji **mou**zika **dé**ss**tchi **cho**ou*

Quel est le prix du billet ?
Qual é o preço do ingresso?
***koua**ou è ou **pré**ssou dou ï**grè**ssou*

Ça commence à quelle heure ?
Começa a que horas?
*ko**mè**ssa a ké **ò**ras*

Il y a un théâtre/un cinéma dans la ville ?
Tem um teatro/um cinema na cidade?
*tén oun téatrou/oun ssi**né**ma na ssi**da**dji*

Ce film est sous-titré ?
Este filme é legendado?
*é**ss**tchi **fiou**mi ò lò**gó**n**da**dou*

Quelle est la durée du film/du concert/de la pièce de théâtre ?
Qual é a duração do filme/do show/da peça de teatro?
kouaou è a dourassain-on dou fioumi/dou choou/da pèssa dji téatrou

Chez le coiffeur

Au Brésil, les coiffeurs sont partout ! Une bonne solution pour les hommes est d'aller chez le **barbeiro**, *le barbier*. Il coupe les cheveux et fait la barbe pour un prix modique.

Je cherche un coiffeur.
Procuro um cabelereiro.
prokourou oun kabéléréïrou

Je veux me faire tailler la barbe et couper les cheveux.
Quero fazer a barba e cortar o cabelo.
kèrou fazér a barba i kortar ou kabélou

Je veux me faire une teinture.
Quero pintar.
kèrou pïntar

Pouvez-vous me montrer des modèles de coupes ?
Você poderia me mostrar modelos de cortes?
vossé podéria mi mosstrar modélouss dji kòrtiss

↗ À la campagne, à la plage, à la montagne...

Une fois arrivé au Brésil, il vaudra mieux revoir votre définition de la "campagne": une ville de 60 000 habitants y est par exemple souvent considérée une ville de campagne ! En revanche, dans les vrais coins reculés, une vie très proche de la nature existe, au rythme du lever et du coucher du soleil... et tandis que s'égrènent les histoires racontées par les habitants.

Sports de loisir

Les Brésiliens font du sport, c'est bien connu ! Sur la plage, on fait du jogging, du vélo, du volley, du foot, mais aussi du **futvolei** (volley qui se joue ballon au pied) ou du **sandball** (handball sur le sable).

C'est quoi comme sport ?
Que esporte é esse?
*ké éss**pòr**tchi è éssi*

On fait un jogging ?
Vamos correr?
vain**-mouss ko**Rér

Je peux venir faire de la musculation ?
Posso vir fazer musculação?
*p**ò**ssou vir fa**zér** mousskoula**ssain**-on*

Mais le sport national reste toutefois, bien évidemment, le football ! La moindre parcelle de terrain plat, vous verrez, est détournée pour faire office de terrain de foot... On joue sur le sable, la pelouse et parfois même dans la boue ! Si l'envie vous démange de rejoindre une partie, il suffit de le demander :

Je peux jouer avec vous ?
Eu posso jogar com vocês?
*éou **pò**ssou jo**gar** kon vo**sséss***

À la piscine, à la plage

La côte brésilienne fait environ 8 000 km. Une vaste étendue qui offre l'occasion de se perdre, mais qui permet aussi de comprendre l'importance des plages (et des cours d'eau) dans la vie du peuple brésilien. Avec autant d'options, les piscines publiques sont rares. Si vous séjournez dans les grandes villes balnéaires, renseignez-vous avant de vous jetter à l'eau : les plages sont souvent polluées à proximité des agglomérations.

Quelle est la plage la plus proche ?
Qual é a praia mais próxima?
***koua**ou è a **pra**ïa **ma**ïss **prò**ssima*

Cette plage est-elle polluée ?
Esta praia é poluída?
*éssta **pra**ïa è polouïda*

Comment arrive-t-on à la plage ?
Como chegar na praia?
***ko**mou ché**gar** na **pra**ïa*

Quelle est la meilleure plage ?
Qual é a melhor praia?
***koua**ou è a mé**lior pra**ïa*

Est-il dangereux de nager par ici ?
É perigoso nadar aqui?
è périgozou nadar aki

Ici, c'est bien pour plonger ?
Aqui é bom para mergulhar?
aki è bon para mérgouliar

Et si vous n'êtes pas en bord de mer, il y a toujours des rivières et des cascades pour se baigner...

Je peux nager dans cette rivière ?
Eu posso nadar neste rio?
éou pòssou nadar nésstchi riou

Où y a-t-il une belle cascade ?
Onde tem uma cachoeira bonita?
ondji tén ouma kachoéïra bonita

Camper et camping

Il y a des campings implantés un peu partout au Brésil. Certains sont très rudimentaires, mais très conviviaux pour autant ! Si vous êtes équipé, les campings sont un bon compromis pour des voyages en itinérance, d'autant qu'il vaut mieux éviter, pour votre sécurité, de camper n'importe où.

Quel est le prix par jour et par personne avec une tente ?
Qual é o valor da diária, por pessoa e com uma barraca?
kouaou ò ou valor da diària por péssooua i kon ouma baRaka

Où est-ce que je peux monter ma tente ?
Onde eu posso montar a minha barraca?
*ondji éou **pò**ssou mon**tar** a **mig**na ba**Ra**ka*

Est-ce qu'il y a des prises électriques dans le camping ?
Existem tomadas no camping?
*é**ziss**tén to**ma**das nou **kain**-pïn*

Est-ce qu'il y a de l'eau chaude ?
Tem água quente?
*tén **à**goua **kén**tchi*

Vous avez des allumettes ?
Você tem fósforo?
*vo**ssé** tén **fòss**forou*

Arbres et plantes sauvages

Il est impossible d'aborder en détail la flore et la faune brésiliennes. Si vous êtes vraiment passionné de biologie, le mieux est encore de vous procurer un bon livre sur le sujet. Même dans les villes, les arbres et les plantes tropicales sont nombreux, n'hésitez pas à demander leurs noms.

Quel est le nom de cette plante/de cet arbre ?
Qual o nome desta planta/árvore?
***koua**ou è ou nomi **dèss**ta **plain**-ta/arvori*

Voici quelques noms de plantes et arbres endémiques :

pau-brasil	*paou bra**ziou***	C'est l'arbre qui a donné son nom au pays : il a de petites feuilles et des fleurs jaunes qui ressemblent à des orchidées.

ipê	*ipé*	Lors de la floraison, cet arbre monumental se couvre littéralement de rose, blanc ou jaune, couleurs de ses fleurs !
jacarandá	*jakarain**dà***	Poussant dans les zones sèches, cet arbre arbore des fleurs violette qui ressemblent un peu à celles de la glycine.
mogno	***mò**gnou*	Très apprécié pour les meubles, c'est *l'aca-jou* en français.
helicônia	*eli**ko**nïa*	Plante de la famille du bananier dont la fleur évoque des becs d'oiseaux.

Animaux (gibier, oiseaux, poissons)

Malheureusement, les forêts sont en train de disparaître et, avec elle, la faune... Restez attentif et vous allez néanmoins pouvoir observer quelques beaux spécimens. Les serpents sont également nombreux, même s'il n'est pas si simple de les voir. Ouvrez l'œil !

Quelle est cette bête ?
Que bicho é esse?
*ké **bi**chou è éssi*

ara	**arara**	*arà**ra***
araignée	**aranha**	*ara**g**na*
baleine	**haleia**	*halé**ï**a*
bar	**robalo**	*roba**lou***
capybara	**capivara**	*kapiv**ara***
chauve-souris	**morcego**	*mor**ssé**gou*
crapaud	**sapo**	***ssa**pou*
crocodile	**jacaré**	*jakar**è***
dauphin	**golfinho**	*goou**fig**nou*
gibier	**caça**	***ka**ssa*
loup	**lobo**	***lo**bou*

mammifères	mamíferos	ma**mi**férouss
mulet	tainha	ta**ïgna**
oiseaux	pássaros	**pà**ssarouss
panthère	onça pintada	on**ssa** p**ï**nt**a**da
perroquet	papagaio	papa**ga**ïou
piranha	piranha	pira**gna**
poissons	peixes	**péi**chïss
reptiles	répteis	**rè**ptéïss
sanglier	porco do mato	**por**kou dou **ma**tou
serpent	cobra	**kò**bra
singe	macaco	ma**ka**kou
tapir	anta	**ain**-ta
tatou	tatu	ta**tou**
toucan	tucano	tou**kain**-nou

Insectes

Au Brésil, ils sont aussi nombreux que gênants… Attention aux moustiques qui peuvent être porteurs de plusieurs maladies ! Et pour en finir avec les réjouissances, dans les zones côtières, il y a souvent une mouche nommée **mutuca** ou **butuca** qui inflige une piqûre douloureuse.

Il y a trop de moustiques !
Tem muito pernilongo!
tén **mouï**tou pérni**lon**gou

Le moustique m'a piqué(e) !
O pernilongo me picou!
ou pérni**lon**gou mi pi**ko**ou

Une tique !
Um carrapato!
oun kaRa**pa**tou

Un cafard !
Uma barata!
ouma ba**ra**ta

Je suis allergique…	Sou alérgico…	**sso**ou al**èr**gikou…
aux piqûres d'abeilles.	às picadas de abelhas.	ass pi**ka**dass dji abé**liass**
aux piqûres de guêpes.	às picadas de marimbondos.	ass pi**ka**dass dji marïn**bon**douss

↗ Hébergement

Même si les hôtels sont assez répandus, le Brésil est le pays des **pousadas**, une sorte d'hôtel famillial, presque une chambre d'hôte.

En revanche, en haute saison ou pendant les jours fériés, il vaut mieux réserver votre hébergement bIen à l'avance. Le petit-déjeuner est souvent inclus dans le prix et vous pouvez même négocier une pension complète si elle n'est pas proposée.

Réservation d'hôtel

auberge	pousada	*poou**za**da*
auberge de jeunesse	albergue da juventude	*aou**bèr**gui da jouvén**tou**dji*
gîte	casa para alugar	***ka**za **pa**ra a**lou**gar*
hôtel	hotel	*o**tè**ou*

Je voudrais réserver une chambre pour quatre nuits.
Eu gostaria de reservar um quarto por quatro noites.
*éou gosta**ri**a dji rézér**var** oun **kouar**tou por **koua**trou **noï**tchiss*

C'est combien par nuit ?
Quanto é a diária?
***kouain**-tou è a di**à**ria*

Je veux un lit à deux places/deux lits séparés.
Quero uma cama de casal/duas camas de solteiro.
*kèrou ouma **kain**-ma dji ka**za**ou/**dou**ass **kain**-mass dji sooutéïrou*

Nous sommes deux adultes et deux enfants.
Nós somos dois adultos e duas crianças.
*nòss **sso**mouss doïss a**dou**outouss i douass kri**ain**ssass*

Est-il possible d'ajouter un lit dans la chambre pour un enfant ?
É possível colocar uma cama a mais para una criança?
*è po**ssi**véou kolo**kar** ouma **kain**-ma a maïss **pa**ra ouma kri**ain**ssa*

Vous avez des chambres familiales ?
Vocês têm quartos para família?
*vo**sséïss** tén **kourt**ouss para fam**i**lia*

À la réception

Avez-vous des chambres disponibles pour les dates du... au... ?
Vocês têm quartos disponíveis entre os dias... i...?
*vo**sséïss** tén **kouar**touss dissponivéïss **én**tri ouss djiass... i...*

Pour combien de nuits ?
Por quantas noites?
*por **kouan**tass **noï**tchiss*

J'ai fait une réservation au nom de...
Eu fiz uma reserva no nome de...
*éou fiz ouma ré**sèr**va nou nomi dji...*

Est-ce que le petit-déjeuner est inclus ?
O café da manhã está incluso?
ou ka**fè** da ma**gna** éss**tà** ï**nklou**zou

À quelle heure le petit-déjeuner est-il servi ?
A que horas o café da manhã é servido?
a ké **ò**rass ou ka**fè** da ma**gnain** è ss**é**r**vi**dou

À quelle heure peut-on récupérer/faut-il libérer la chambre ?
A que horas nós podemos chegar no quarto/liberar o quarto?
a ké **ò**rass nòss po**dé**mouss ch**é**gar no **kouar**tou/lib**é**rar ou **kouar**tou

Vocabulaire des services et du petit-déjeuner

Est-ce qu'il y a l'air conditionné dans la chambre ?
O quarto tem ar-condicionado?
ou **kouar**tou tén arkondissio**na**dou

Y'a-t-il une navette depuis l'aéroport ?
Existe transfer no aéroporto?
é**ziss**tchi **train**ssfér nou aèro**por**tou

Y a-t-il des consignes à bagages ?
Aqui tem guarda-bagagem?
aki tén **gouar**da ba**ga**gén

Avez-vous un service de pressing ?
Vocês têm serviço de lavanderia?
vo**sséïss** tén sérvi**ssou** dji lavain**dé**ria

Vous avez... ?	Vocês têm...?	vosséïss tén...
du café	kafè	kafè
du café au lait	café com leite	kafè kon **léï**tchi
du chocolat chaud	chocolate quente	choco**la**tchi **kén**tchi
du jus de fruit	suco	**ssou**kou
du lait	leite	**léï**tchi
du thé	chá	chà
du beurre	manteiga	main**téï**ga
de la confiture	geleia	ge**lè**ïa
du miel	mel	**mè**ou
du pain	pão	**pain**-on
du sucre	açúcar	a**ssou**kar

En cas de petit problème...

J'ai besoin d'une serviette de bain.
Preciso de uma toalha de banho.
*pré**ssi**zou dji ouma to**a**lia dji ba**gnou***

Je voudrais un oreiller/une couverture supplémentaire.
Quero mais um travesseiro/um corbertor.
kè**rou maïss oum travé**sséï**rou/oum korbér**tor

Le ventilateur est cassé.
O ventilador está quebrado.
*ou véntila**dor** éss**tà** ké**bra**dou*

La douche/la télévision ne marche pas.
O chuveiro/a televisão não funciona.
*ou chou**véï**rou/a télévi**zain**-on **nain**-on founssi**o**na*

Vous avez des moustiquaires ?
Você tem mosquiteiro?
vo**ssé** tén mosskit**éï**rou

Avez-vous une chambre moins bruyante ?
Tem um quarto mais silencioso?
tén oun **kouar**tou **ma**ïss ssilénssi**o**zou

Régler la note

J'aimerais régler la chambre.
Eu gostaria de pagar o quarto.
éou gosta**ri**a dji pa**gar** ou **kouar**tou

Ça fait combien ?
Quanto ficou?
kouantou fi**ko**ou

J'ai besoin d'une facture.
Preciso de nota fiscal.
pré**ssi**zou dji **nò**ta fiss**kaou**

Je peux régler...	Eu posso pagar...	éou **pò**ssou pa**gar**...
par carte ?	com cartão?	kon kar**tain**-on
en espèces ?	em dinheiro?	én dïn**gnéï**rou

↗ **Nourriture**

Au déjeuner et au dîner, on mange généralement un plat unique et une salade au Brésil, et le dessert ne fait pas systématiquement partie du repas. Si un jour vous vous réveillez trop tard pour le petit-déjeuner, rendez-vous dans une boulangerie : on vous y servira du café, du lait, du jus de fruit, du pain, bref... tous les ingrédients d'un bon petit-déjeuner, et ce, quelle que soit l'heure de la journée !

Les desserts brésiliens sont très sucrés ; certains se mangent avec du fromage frais. Les mélanges sucré-salé sont d'ailleurs fréquents dans l'alimentation brésilienne, laissez-vous tenter !

Au restaurant

Si vous voulez manger pour pas cher, essayez les petits restaurants self-service : ils proposent généralement une belle variété de plats et vous constaterez sans doute avec étonnement que la nourriture se paye au poids !
Généralement, les Brésiliens donnent le nom d'*entrée*, **entrada**, aux tranches de pain accompagnées de beurre et d'olives que le serveur apporte au moment où l'on s'installe, histoire de patienter. Le repas lui-même est rarement accompagné de pain.
Pour les boissons, les Brésiliens préfèrent la bière au vin. Par ailleurs, l'eau n'est jamais servie gratuitement, il faut la payer.

Auriez-vous une table pour six personnes ?
Você tem uma mesa para seis pessoas?
*vo**ssé** tén ouma **méza para** séïss pé**sso**ouass*

Je suis désolé, nous sommes complets.
Desculpe, estamos completos.
*déss**kouou** pi éss**ta**mouss kon**plè**touss*

Il y a vingt minutes d'attente.
Tem vinte minutos de espera.
*tén **vïn**tchi mi**nou**touss dji éss**pè**ra*

Je peux voir la carte ?
Posso ver o cardápio?
***pò**ssou vér ou kar**dà**piou*

Vous avez choisi ?
Já escolheram?
*jà éssko**lié**rain*

Qu'est-ce que vous nous conselllez ?
O que você aconselha?
*ou ké vo**ssé** akon**ssé**lia*

Pouvez-vous m'indiquer où sont les toilettes, s'il vous plaît ?
Você pode me dizer onde fica o banheiro, por favor?
*vo**ssé** **pò**dji mi di**zér** ondji **fi**ka ou bag**néï**rou por fa**vor***

Dans certaines régions du Brésil, le dimanche, les gens ont l'habitude de commander une pizza qu'ils se font livrer à la maison.

J'aimerais commander une pizza au...
Eu gostaria de encomendar uma pizza de...
*éou gossta**ri**a dji énkomén**dar** ouma pitza dji...*

Spécialités et plats traditionnels

Chaque région du pays a son lot de spécialités ! En voici quelques-unes...

Feijoada *[féïjoada]* : créé par les esclaves, ce plat est un mélange de riz, de haricots noirs et de plusieurs sortes de viandes. C'est un plat très savoureux et épicé, mais aussi assez lourd qui rappelle en quelque sorte le cassoulet français. On le mange toujours accompagné de **farinha de mandioca** : une "poudre" faite à base de manioc.

Vatapá *[vatapà]* : ce plat, typiquement bahianais, est un mélange de farine de manioc, de crevettes et de noix de cajou, cuites dans du lait de coco et savoureusement épicées. Parfois piquant, il s'accompagne presque toujours d'**acarajé** *[akarajè]*, un petit gâteau à base de haricots. Ne soyez pas étonné si toutes les rues de Bahia sentent les épices ! Et sachez qu'à Bahia, lorsqu'on vous demande si vous voulez votre plat **quente** (littéralement "chaud"), on vous demande en fait si vous le voulez pimenté !

Moqueca *[mokèka]* : également de Bahia et influencé par la cuisine africaine, c'est un genre de pot-au-feu de poisson ou de fruits de mer cuits avec des tomates, des oignons, des poivrons, du lait de coco et de l'huile de palme (**dendê**, en brésilien). On retrouve ce plat dans le Sud-Est, en version "light" : sans lait de coco ni dendê.

Churrasco : c'est le barbecue brésilien ! Le repas typique d'un jour de fête chez des amis. On compose son assiette au fur et à mesure que la viande cuit et chacun mange à son rythme.

Vocabulaire des mets et produits

Les poissons et les viandes :

poisson et fruits de mer	**peixe e frutos do mar**	*péïchï i **frou**touss dou mar*
crabe	**carangueijo**	*karain**guéï**jou*
crevette	**camarão**	*kama**rain**-on*
hareng	**arenque**	*a**rén**ki*
huîtres	**ostra**	***oss**tra*
langouste	**lagosta**	*la**goss**ta*
seiche	**lula**	***lou**la*
sole	**linguado**	*lïn**gou**adou*
truite	**truta**	***trou**la*
viande	**carne**	***kar**ni*
boeuf	**carne bovina**	***kar**ni bo**vi**na*
côte	**costela**	*koss**tè**la*
dinde	**peru**	***pé**rou*
filet mignon	**filé mignon**	*filè mïn**gnon***
porc	**carne de porco**	***kar**ni dji **por**kou*
poulet	**frango**	***frain**-gou*
saucisse	**linguiça**	*lïn**gou**ïssa*
veau	**vitela**	*vi**tè**la*

Les fruits et les légumes :

La variété de fruits exotiques est considérable. Bien qu'il soit impossible de tous les citer ici, nous vous recommandons de goûter à tous ceux qui se trouveront sur votre chemin !

ananas	**abacaxi**	*abaka**chi***
avocat	**abacate**	*aba**ka**tchi*

banane	banana	ba**nain**-na
citron	limão	li**main**-on
clémentine	**mexerica/bergamota/ clementina** (selon les régions)	méché**ri**ka/bérga**mò**ta/ klé**mén**tina
figue	**fi**go	**fi**gou
fruit de la passion	maracujá	marakou**jà**
goyave	goiaba	goïaba
jaque	jaca	**ja**ka
kaki	caqui	ka**kì**
mangue	manga	**main**-ga
melon	melão	mé**lain**-on
noix de cajou	castanha de cajú	kasta**gna** dji ka**jou**
noix de coco	côco	**ko**kou
orange	laranja	la**rain**-ja
papaye	mamão	ma**main**-on
pastèque	melancia	mélain**ssia**
pêche	pêssego	**pé**sségou
poire	pêra	**pé**ra
pomme	maçã	ma**ssain**
prune	ameixa	a**mé**ïcha
raisin	uva	**ou**va

brocolis	brócolis	**brò**koliss
carotte	cenoura	ssé**nou**ra
chou-fleur	couve-flor	koouvi**flor**
cœur de palmier	palmito	paou**mi**tou
concombre	pepino	pé**pi**nou
cresson	agrião	agri**ain**-on
épinards	espinafre	ésspi**na**fri
haricot	feijão	féï**jain**-on
laitue	alface	aou**fa**ssi

lentilles	lentilha	*léntilia*
manioc	mandioca	*maindjiòka*
oignon	cebola	*ssébola*
petits-pois	ervilha	*érvilia*
poivron	pimentão	*piméntain-on*
pomme de terre	batata	*batata*
tomate	tomate	*tomatchi*

Notez aussi :

farine	farinha	*farigna*
farine de manioc	farinha de mandioca	*farigna dji maindjiòka*
frites	batata frita	*batata frita*
purée	purê	*pouré*
riz	arroz	*aRoss*

Façon de préparer et sauces

Comme toute bonne cuisine métissée, celle du Brésil peut emprunter des tonalités à nombre d'autres pays… tout dépend de la région où l'on se trouve !

La préparation des plats :

à la vapeur	no vapor	*nou vapor*
au court-bouillon	fervido	*férvidou*
cuit	cozido	*kozidou*
frit	frito	*fritou*
fumé	defumado	*défoumadou*
gratiné	gratinado	*gratinadou*
grillé	assado	*assadou*

saignante	mal passada	**ma**ou pa**ssa**da
à point	no ponto	nou **pon**tou
bien cuite	bem passada	bén pa**ssa**da

Les sauces :

Molho Branco, *sauce blanche* : souvent faite à base de crème fraîche.

vinagrete, *vinaigrette* : il s'agit d'une sauce pour accompagner les viandes rouges faite à base de tomates et d'oignons en cube arrosés de vinaigre.

Quant à la sauce qui accompagne les salades, vous la trouverez soit déjà préparée avec un mélange d'*huile d'olive*, **azeite**, de *vinaigre* (ou *vinaigre balsamique*), **vinagre** (**vinagre balsâmico**) et de *sel*, **sal**, soit l'on vous donnera les ingrédients pour que vous la prépariez vous-même.

Fromages

Bien que le Brésil soit un pays d'élevage bovin et que le fromage ait un rôle essentiel dans l'alimentation, vous n'y trouverez pas une grande variété de fromages. À moins de vous rendre dans certains supermarchés spécialisés où vous trouverez du fromage français et italien.

parmesão	parmé**zain**-on	*parmesan*
muçarela	moussa**rè**la	*mozzarella*
queijo prato	**ké**ïjou **pra**tou	*fromage à fondue*

Voici d'autres fromages assez courants :

queijo fresco	*kéïjou **fréss**kou*	*fromage frais*
catupiry	*katoupi**ri***	*fromage moelleux souvent utilisé pour les pizzas*
requeijão	*réké**jain**-on*	*fromage moelleux à tartiner présenté dans des verres*

Boissons alcoolisées

Je voudrais boire…
Eu gostaria de beber…
*éou gossta**ri**a dji bé**bér**…*

de la bière.	**uma cerveja.**	*ouma ssé**rvé**ja*
de l'eau-de-vie.	**uma pinga/cachaça.**	*ouma **pï**nga/ka**cha**ssa*
du vin rouge/blanc.	**um vinho tinto/ branco.**	*oun vi**gnou tïn**tou/ **brain**-kou*

Parmi les cocktails les plus appréciés, il y a **la batida**, mélange de jus de fruit et d'eau-de-vie et la **caipirinha**, mélange de citron et d'eau-de-vie.

Autres boissons

La majorité des Brésiliens boivent du café, des jus de fruits et autres boissons très sucrées. Pour cette raison, il vaut mieux préciser :

avec peu de sucre/sans sucre
com pouco açúcar/sem açúcar
*kon **po**oukou a**ssou**kar/ssén a**ssou**kar*

Est-ce que vous avez de l'édulcorant, s'il vous plaît ?
Tem adoçante, por favor?
*tén ado**ssain**-tchi por favor*

café	**cafézinho**	*kafè**zig**nou*
café au lait	**café com leite**	*kafè kon **léï**tchi*
chocolat chaud	**chocolate quente**	*choko**la**tchi **kén**tchi*
eau gazeuse	**água com gás**	*àgoua kon **gass***
eau minérale	**água mineral**	*àgoua minéraou*
eau plate	**água sem gás**	*àgoua ssén **gass***
infusion (à base de maté)	**chimarrão**	*chima**Rain**-on*
jus de canne à sucre	**caldo de cana**	***kaou**dou dji **kain**-na*
jus de fruits	**suco**	***ssou**kou*
soda	**refrigerante**	*réfrigé**rain**-tchi*

↗ Achats et souvenirs

Au Brésil, on marchande rarement dans les grandes villes. En revanche, dans les petites villes et les centres touristiques, marchander est presque impératif pour les touristes !

Combien ça coûte ?
Quanto custa isso?
***kouain**-tou **kouss**ta issou*

C'est très/trop cher !
É muito caro!
*è **mouï**tou **ka**rou*

Vous pouvez me faire une remise ?
Você pode fazer um desconto?
*vo**ssé** p**ò**dji faz**ér** oum déss**kon**tou*

Si vous me le faites à 10 réais, je le prends !
Se você me fizer por 10 reais, eu levo!
*ssi vo**ssé** mi fiz**ér** por **dè**ïss r**éa**ïss éou **lè**vou*

Magasins et services

Dans les grandes villes, les magasins des centres commerciaux
sont ouverts du lundi au samedi de 10 h à 22 h sans interruption
et on trouve aisément des supermarchés ouverts 24 heures sur 24.
Les marchés ont, en gros, les mêmes horalres.

Je cherche...	**Eu procuro...**	*éou pro**kou**rou...*
une bijouterie.	**uma joalheria.**	*ouma joalié**ria***
un fleuriste.	**um florista.**	*oun flo**riss**ta*
un kiosque à journaux.	**uma banca de jornais.**	*ouma **bain**-ka dji jor**naïss***
une librarie.	**uma livraria.**	*ouma livra**ria***
un magasin de chaussures.	**uma loja de calçados/de sapatos.**	*ouma **lò**ja dji kaou**ssa**douss/dji ssa**pa**touss*
un magasin de disques.	**uma loja de discos.**	*ouma **lò**ja dji **diss**kouss*
une boutlque de vêtements.	**uma loja de roupas.**	*ouma **lò**ja dji **ro**oupass*

Vous avez de la monnaie ?
Você tem trocado?
*vo**ssé** tén tro**ka**do*

Je peux payer par carte bancaire ?
Posso pagar com cartão?
pòssou pagar kon kartain-on

Vous avez besoin d'autre chose ?
Você precisa de algo mais?
vossé préssiza dji aougou maïss

Voici votre monnaie.
Aqui está seu troco.
akì ésstà sséou trokou

Livres, revues, journaux, musique

Dans les grandes villes, et surtout dans les centres économiques des villes, vous trouverez des revues et journaux écrits en langues étrangères dans les kiosques.

En ce qui concerne la musique, vous trouverez des magasins spécialisés un peu partout ! Évitez cependant d'acheter à des **camelôs**, *marchands ambulants*, qui vendent de la contrefaçon.

La musique brésilienne :

Grâce à son histoire interculturelle, le Brésil est un pays musical par excellence ! La musique brésilienne est née du mélange des influences européennes et africaines, mais c'est au XVIIe siècle qu'elle a évolué pour aboutir à ce qu'elle est aujourd'hui.

Les rythmes sont si nombreux qu'il est presque impossible d'en faire le tour. À chaque type de musique correspond en principe une danse et les Brésiliens seront toujours ravis d'esquisser quelques pas pour et avec vous. Alors, osez vous lancer !

Ouvrez bien vos oreilles et n'hésitez pas à demander :

Qui est-ce qui chante cette chanson ?
Quem é que canta essa música?
*kén è ké **kain**-ta **è**ssa **mou**zika*

Où peut-on trouver des CD de… ?
Onde eu posso encontrar o CD do/da…?
*ondji éou **pòssou** énkon**trar** ou ssédé dou (da)…*

Tu peux m'apprendre à danser ?
Você me ensina a dançar?
*vo**ssé** mi é**nss**ina a dain-**ssar***

Tu veux danser avec moi ?
Você quer dançar comigo?
*vo**ssé** kér dain-**ssar** komi**g**ou*

Livres :

Un conseil : parcourez les bonnes *librairies*, **livrarias**, des grandes villes. Vous y trouverez des livres en langues étrangères.

Vous avez des journaux, des livres ou des revues en langues étrangères ?
Vocês têm jornais, livros ou revistas em línguas estrangeiras?
*vo**ssé**ïs tén jor**naï**ss **li**vrouss oou ré**viss**tass én **l**ïngouass éstran**géï**rass*

Blanchisserie, teinturerie

Je cherche une laverie, s'il vous plaît.
Procuro uma lavanderia, por favor.
*pro**kou**rou ouma lavain-dé**ri**a por fa**vor***

Je vous laisse ces vêtements à laver/à repasser.
Deixo estas roupas para lavar/passar.
déï**chou ésstass **ro**oupass **pa**ra la**var**/pa**ssar

Pouvez-vous me dire combien ça va me coûter ?
Você pode me dizer quanto vai custar?
*vo**ssé pò**dji mi dizér **kouan**tou vaï kuss**tar***

Quand pourrai-je les récupérer ?
Quando eu posso pegá-las ?
***kouan**dou éou **pò**ssou pé**gà**lass*

Vêtements et chaussures

Je cherche des vêtements/ des chaussures...	**Procuro roupas/sapatos...**	*pro**kou**rou **ro**oupas/ssa**pa**tous...*
pour enfants.	de criança.	*dji kri**ain**ssa*
pour femmes.	para mulheres.	*para mou**lié**riss*
pour hommes.	para homens.	*para **o**ménss*
pour la plage.	de praia.	*dji **praï**a*
d'hiver.	de inverno.	*dji ïn**vèr**nou*
d'été.	de verão.	*dji vé**rain**-on*

Vous voulez quelle taille ?
Você quer qual tamanho?
*vo**ssé** kèr **koua**ou ta**mag**nou*

C'est petit/grand.
Está pequeno/grande.
éss**tà** pé**ké**nou/**grain**-dji

C'est serré.
Está apertado.
éss**tà** apér**ta**dou

Vous chaussez du combien ?
Quanto você calça?
kouain-tou vo**ssé kaou**ssa

Je chausse du 40.
Eu calço 40.
éou **kaou**ssou koua**rén**ta

Vous avez d'autres couleurs ?
Você tem de outra cor?
vo**ssé** tén dji **o**outra kor

Quelques couleurs et motifs pour vous aider à décrire ce que vous cherchez :

blanc	branco	**brain**-kou
bleu	azul	a**zou**ou
gris	cinza	**ssïn**za
jaune	amarelo	ama**rè**lou
noir	preto	**pré**tou
marron	marrom	ma**Ron**
rose	rosa	**rò**za
rouge	vermelho	vér**mé**liou
vert	verde	**vér**dji
violet	roxo	**ro**chou

couleur unie	cor única	kor **ou**nika
rayé	listrado	liss**tra**dou
à carreaux	quadriculado	kouadrikou**la**dou
coloré	colorido	kolo**ri**dou

Et enfin, une liste de vocabulaire utile pour les vêtements et les chaussures :

baskets	tênis	**té**niss
bottes	botas	**bò**tass
chaussettes	meias	**méï**ass
chaussures à talon	sapato de salto alto	ssa**pa**tou dji **ssaou**tou **aou**tou
culotte/caleçon (hommes)	calcinha (*fém.*) / cueca (*masc.*)	kaou**ssi**gna/kou**è**ka
jupe	saia	saïa
maillot de bain	maiô, biquini (*fém.*) / sunga (*masc.*)	ma**ïo**, bi**ki**ni/ **ssoun**ga
manteau	casaco de frio	ka**za**kou dji **fri**ou
pantalon	calça	**kaou**ssa
robe	vestido	véss**ti**dou
sandales	sandálias	ssain-**dà**gliass
short	shorts	**shòr**tss
soutien-gorge	sutiã	souti**ain**
tongs	chinelos	chi**nè**louss
t-shirt	camiseta	kami**zé**ta
veste	casaco	ka**za**kou

Au bureau de tabac

Il est possible d'acheter des cigarettes un peu partout : dans les kiosques à journaux, les supermarchés, les stations-services et les petits bars ouverts toute la nuit.

Je voudrais...	Eu gostaria de...	*éou gosstaria dji...*
un briquet.	um isqueiro.	*oun iss**kéï**rou*
une cartouche de...	um pacote de...	*oun pa**kò**tchi dji...*
un paquet de...	um maço de...	*oun **ma**ssou dji...*
du tabac à rouler.	fumo para enrolar.	**fou**mou para énRo**lar**

Photo

Les Brésiliens, dans leur majorité, aiment bien se faire prendre en photo, mais si vous voulez photographier quelqu'un que vous ne connaissez pas, nous vous recommandons de lui demander son accord.

Est-ce je peux te/vous prendre en photo ?
Eu posso tirar uma foto sua?
*éou **pò**ssou ti**rar** ouma **fò**tou **sou**a*

Je voudrais faire développer cette pellicule.
Eu gostaria de revelar este filme.
*éou gossta**ri**a dji révé**lar éss**tchi **fiou**mi*

Où peut-on acheter des pellicules ?
Onde eu posso comprar um filme fotográfico?
*ondji éou **pò**ssou kom**prar** oum **fiou**mi foto**grà**fikou*

appareil photo	máquina fotográfica	**mà**kina foto**grà**fika
développer	revelar	révé**lar**
imprimer	imprimir	ïnpri**mir**
pellicule couleur	filme colorido	**fiou**mi kolo**ri**dou
pellicule noir et blanc	filme preto e branco	**fiou**mi **pré**tou I **bra**ln-kou
prendre une photo	tirar uma foto	ti**rar** ouma **fò**tou

Provisions

beurre	manteiga	main**téï**ga
biscuits	biscoitos	biss**koï**touss
boîte de conserve	conserva em lata	kon**ssér**va én **la**ta

bonbons	**balas**	**ba**lass
confiture	**geleia**	ge**lè**ïa
farine	**farinha**	fa**rig**na
glace	**sorvete**	ssor**vé**tchi
glaçons	**gelo**	**gé**lou
huile	**óleo**	**ò**léou
lait	**leite**	**léï**tchi
moutarde	**mostarda**	moss**tar**da
œufs	**ovos**	**ò**vouss
olives	**azeitonas**	azéï**to**nass
pain	**pão**	**pain**-on
pâtes	**macarrão (massa, au sud du Brésil)**	maka**Rain**-on/**ma**ssa
poivre	**pimenta**	pi**mén**ta
sel	**sal**	**ssa**ou

brosse à dents	**escova de dente**	éss**ko**va dji **dén**tchiss
couches pour bébé	**fralda**	**fraou**da
dentifrice	**pasta de dente**	**pass**ta dji **dén**tchi
déodorant	**desodorante**	dézodo**rain**-tchi
lames de rasoir	**lâmina de barbear**	**lain**-mina dji barbi**ar**
mouchoirs	**lenço**	**lén**ssou
papier toilette	**papel higiênico**	pa**péou** igi**é**nikou
parfum	**perfume**	pér**fou**mi
savon	**sabão**	ssa**bain**-on
shampoing	**xampu**	chain**pou**

Souvenirs

Quel cadeau typique est-ce que je peux rapporter du Brésil ?
Qual presente típico do Brasil eu posso levar?
kouaou pré**zén**tchi **tì**pikou dou bra**zi**ou éou **pò**ssou lé**var**

Vous pouvez me faire un paquet cadeau, s'il vous plaît ?
Você pode embrulhar para presente, por favor?
vossé pòdji énbrouliar para pézéntchi por favor

C'est fabriqué dans quelle région ?
De que região vem isso?
dji ké régiain-on vén issou

En quoi est-ce que c'est fait ?
De que material é feito?
dji ké matériaou è féïtou

Curiosité : attention à ne pas confondre **uma joia** et **uma bijou-teria**. **Uma joia** renvoie à un bijou de valeur, tandis que **uma bijouteria** est un bijou fantaisie !

↗ Rendez-vous professionnels

Fixer un rendez-vous

Attention avant de fixer un rendez-vous professionnel : la façon de faire est différente de celle pour fixer un rendez-vous chez le médécin (**gostaria de marcar uma consulta**) ou avec un ami (**vamos nos encontrar?**). Dans les situations professionnelles préférez :

J'aimerais prendre un rendez-vous avec Mme Ana.
Eu gostaria de marcar uma hora para ver a Sra. Ana.
éou qosstaria dji markar ouma òra para vér a ségnòra ain-na

J'ai un rendez-vous avec Mme Ana.
Eu tenho uma hora marcada com a Sra. Ana.
*éou té**gnou** ouma **ò**ra mar**ka**da kon a ség**nò**ra ain-na*

J'aimerais prendre un rendez-vous pour une réunion avec...
Eu gostaria de agendar uma reunião com...
*éou gossta**ri**a dji agén**dar** ouma réouni**ain**-on kon...*

le (la) responsable des ressources humaines	o (a) responsável dos recursos humanos	ou (a) réspon**ssà**véou douss ré**kour**souss ou**main**-nouss
le (la) président(e)	o (a) presidente	ou (a) prézi**dén**tchi
le directeur/la directrice	o diretor/a diretora	ou diré**tor**/a diré**to**ra
le (la) responsable du marketing	o (a) responsável de marketing	ou (a) réspon**ssà**véou dji **mar**ketïn

Quel jour vous convient le mieux ?
Qual dia é mais conveniente para você?
koua**ou djia è **maï**ss konvé**nién**tchi **pa**ra vo**ssé

À quelle heure ?
A que horas?
*a ké **ò**rass*

Parfait, ça me convient !
Está ótimo.
*éss**tà ò**timou*

Visiter l'entreprise

atelier	oficina	ofi**ss**ina
bureau	escritório	ésskri**tò**riou
chef	chefe	**chè**fi
cadre	executivo	ezékou**ti**vou
entrepôt	armazém	arma**zén**
entreprise	empresa	énp**ré**za

filiale	**filial**	*filiaou*
franchise	**franquia**	*frain-**ki**a*
ouvrier	**operário**	*opé**rà**riou*
personnel	**funcionários**	*founssio**nà**riouss*
PME	**Pequena e Média Empresa**	*pé**ké**na i **mè**dia én**pré**za*
recherche et développement	**pesquisa e desenvolvimento**	*péss**ki**za i déssénvoouvi**mén**tou*
siège	**sede**	***ssè**dji*
stagiaire	**estagiário**	*ésstagi**à**riou*
stock	**estoque**	*éss**tò**ki*
unité de production	**unidade de produção**	*ouni**da**dji dji prodou**ssain**-on*
usine	**usina/fabrica**	*ou**zi**na/**fà**brika*

Vocabulaire de l'entreprise

achat	**compra**	***kon**pra*
acheteur	**comprador**	*konpra**dor***
actionnaire	**acionário**	*assio**nà**riou*
bilan	**balanço**	*ba**lain**-ssou*
Bourse	**bolsa de valores**	***boou**ssa dji va**lo**riss*
brevet	**patente**	*pa**tén**tchi*
budget	**orçamento**	*orssa**mén**tou*
caisse	**caixa**	***kaï**cha*
chiffre d'affaires	**faturamento**	*fatoura**mén**tou*
chômage	**desemprego**	*dézén**pré**gou*
commande	**pedido**	*pé**di**dou*
concurrence	**concorrência**	*konko**Rén**ssia*
contrat	**contrato**	*kon**tra**tou*
coût	**custo**	***kouss**tou*
créditer un compte	**creditar uma conta**	*kré**di**tar ouma **kon**ta*
débiter un compte	**debitar uma conta**	*débi**tar** ouma **kon**ta*

détaillant	**varejista**	*varé**jiss**ta*
embaucher	**contratar**	*kontra**tar***
encaisser	**cobrar**	*ko**brar***
fiche de paie	**folha de pagamento**	*fo**lia** dji paga**mén**tou*
fournisseur	**fornecedor**	*fornéssé**dor***
grossiste	**atacadista**	*ataka**diss**ta*
heure supplémentaire	**hora extra**	*òra **éss**tra*
investissement	**investimento**	*ïnvéssti**mén**tou*
investisseur	**investidor**	*ïnvéssti**dor***
licencier	**demitir**	*démi**tir***
montant	**valor**	*va**lor***
non-paiement	**não pagamento**	***nain**-on paga**mén**tou*
paiement	**pagamento**	*paga**mén**tou*
part de marché	**fatia de mercado**	*fatia dji mér**ka**dou*
partenariat	**parceria**	*parssé**ria***
prêt	**empréstimo**	*én**prèss**timou*
retraite	**aposentadoria**	*apozéntado**ria***
signer	**assinar**	*assi**nar***
sous-traitant	**subcontratado**	*soubkontra**ta**dou*
sponsor	**patrocinador**	*patrossina**dor***

Salons et expositions

Le Salon de l'automobile est sans doute l'un des salons les plus importants du Brésil, suivi par ceux consacrés à la mode et à l'art.

demande	**demanda**	*dé**main**-da*
échantillon	**amostra**	*a**mòss**tra*
enceinte de l'exposition	**local da exposição**	*lo**kaou** da ésspozi**ssain**-on*
hall	**saguão**	*ssa**gouain**-on*

nouveauté	**novidade**	*novi**da**dji*
pavillon	**pavilhão**	*pavi**liain**-on*
salon	**salão**	*ssa**lain**-on*
stand	**estande**	*éss**tain**-dji*

↗ Santé

Avant de vous rendre au Brésil, nous vous recommandons de souscrire une assurance maladie. Dans certaines villes, on trouve souvent des **postos de saúde**, *[pòsstouss dji saoudji]*, qui sont des centres de soins de petite taille installés dans les quartiers. Un service de proximité, en somme.

Chez le médecin, urgence

Je me sens mal.
Eu estou passando mal.
*éou éss**too**ou pa**ssain**-dou **ma**ou*

J'ai une assurance privée.
Eu tenho seguro particular.
*éou té**gnou** ssé**gou**rou partikou**lar***

Quel est le prix de la consultation ?
Quanto é a consulta?
***kouain**-tou è a kon**ssouou**ta*

Symptômes

J'ai de la fièvre.
Estou com febre.
*éss**too**ou kon **fè**bri*

J'ai vomi.
Eu vomitei.
*éou vomi**téi***

Je tousse beaucoup.
Estou tossindo muito.
ésstoou tossïndou mouïtou

Je me suis évanoui(e).
Eu desmaiei.
éou déssmaïéï

Douleurs et parties du corps

J'ai mal...	Estou com dor...	*ésstoou kon dor...*
au bras.	no braço.	*nou brassou*
au cœur.	no coração.	*nou korassain-on*
au cou.	no pescoço.	*nou pésskossou*
à la dent.	de dente.	*dji déntchi*
au doigt.	no dedo.	*nou dédou*
au dos.	nas costas.	*nass kòsstass*
à l'estomac.	no estômago.	*nou ésstomagou*
à la jambe.	na perna.	*na pèrna*
à la main.	na mão.	*na main-on*
au nez.	no nariz.	*nou nariss*
à l'oreille.	no ouvido.	*nou oouvidou*
au pied.	no pé.	*nou pè*
à la tête.	na cabeça.	*na kabéssa*
au ventre.	na barriga.	*na baRiga*
aux yeux.	nos olhos.	*nouss òliouss*
quand je respire.	quando respiro.	*kouain-dou résspirou*

Je suis...	Eu sou...	*éou soou...*
allergique (m./f.)	alérgico(a).	*alèrgikou/alèrgika*
asthmatique (m./f.)	asmático(a).	*assmàtikou/assmàtika*
diabétique (m./f.)	diabético(a).	*diabètikou/diabètika*

<table>
<tr><td>Je me suis cassé...</td><td>Eu quebrei...</td><td>éou kébréï...</td></tr>
<tr><td>le bras.</td><td>o braço.</td><td>ou brassou</td></tr>
<tr><td>le doigt.</td><td>o dedo.</td><td>ou dédou</td></tr>
<tr><td>la jambe.</td><td>a perna.</td><td>a pèrna</td></tr>
<tr><td>le pied.</td><td>o pé.</td><td>ou pè</td></tr>
<tr><td>le poignet.</td><td>o punho.</td><td>ou pougnou</td></tr>
</table>

Santé de la femme

Mes règles sont en retard.
Minha menstruação está atrasada.
*mig*na ménsstroua**ssain**-on éss**tà** atra**za**da

Je suis enceinte de trois mois.
Estou grávida de três meses.
*éss**too**u gr**à**vida dji **tréï**ss **mé**ziss*

J'ai besoin d'un test de grossesse.
Preciso de um teste de gravidez.
*pré**ssi**zou dji oun **tèss**tchi dji gravi**déss***

J'ai besoin de voir un gynécologue.
Preciso ver um ginecologista.
*pré**ssi**zou vér oun ginékolo**giss**ta*

Je prends la pilule...
Eu tomo pílula...
*éou **to**mou **pi**loula...*

accouchement	parto	**par**tou
accoucher	dar a luz	dar a **louss**
contraceptif	contraceptivo	kontrassép**ti**vou
cystite	cistite	ssiss**ti**tchi
diaphragme	diafragma	dia**fra**gma
grossesse	gravidez	gravi**déss**
pilule du lendemain	pílula do dia seguinte	**pi**loula dou djia ssé**gui**ntchi
règles	menstruação	ménsstroua**ssain**-on
serviette hygiénique	absorvente	abssor**vén**tchi
tampon	absorvente interno	abssor**vén**tchi ïn**tèr**nou

Soins médicaux

Ne vous inquiétez pas...
Não se preocupe...
nain-on ssi préo**kou**pi

Ce n'est rien de grave.
Não tem nada de grave.
nain-on tén **na**da dji **gra**vi

Il faut faire...	**Tem que fazer...**	*tén ki fazér...*
quelques examens.	**alguns exames.**	aou**gounss** é**zain**-miss
une radio.	**uma radiografia.**	ouma radiogra**fi**a

Je vais vous prescrire des médicaments.
Vou lhe receitar alguns remédios.
voou li ré**sséï**tar aou**gouns** ré**mè**diouss

Je vais vous envoyer chez un spécialiste.
Vou te encaminhar para um especialista.
voou tchi énkamig**nar pa**ra oun ésspéssia**liss**ta

Vous allez devoir...	Você deverá...	*vossé dévérà*
rester au lit.	ficar de repouso.	*fikar dji répoouzou*
vous administrer des piqûres.	tomar injeções.	*tomar ïnjéssoé^{ing}ss*
prendre un sirop.	tomar um xarope.	*tomar oun charòpi*

Chez le dentiste

S'il s'agit d'une urgence, il va falloir être patient... Mais les dentistes au Brésil sont très bien équipés et leur service est de qualité.

J'ai mal aux dents.
Estou com dor de dente.
ésstoou kon dor dji déntchi

J'ai un abcès.
Tenho uma inflamação.
tégnou ouma ïnflamassain-on

J'ai une carie.
Tenho uma cárie.
tégnou ouma kàri

J'ai perdu un plombage.
Perdi a obturação.
pérdi a obtourassain-on

Je vais devoir...	Vou ter que...	*voou tér ké*
vous arracher une dent.	tirar um dente.	*tirar oun déntchi*
vous dévitaliser une dent.	fazer um canal.	*fazér oun kanaou*
vous poser un plombage.	fazer uma obturação	*fazér ouma obtourassain-on*

Ouvrez la bouche !
Abra a boca!
*abra a **bo**ka*

Vous pouvez vous rincer la bouche.
Pode enxaguar a boca.
*p**ò**dji éncha**gouar** a **bo**ka*

Chez l'opticien

Vous pouvez passer chez un **oculista**, *opticien*, pour changer vos lunettes, mais si vous avez des problèmes de vue, il faut aller voir un **oftalmologista**, *ophtalmologue*.

J'ai cassé mes lunettes.
Eu quebrei meus óculos.
*éou ké**bréï mé**ouss **ò**koulouss*

J'ai perdu mes lentilles…
Eu perdi minhas lentes de contato…
*éou pér**di mig**nass **lén**tchiss dji kon**ta**tou*

J'ai besoin de lunettes de soleil.
Preciso de óculos de sol.
*pré**ssi**zou dji **ò**koulouss dji **ssò**ou*

J'ai besoin de lentilles…
Preciso de lentes de contato…
*pré**ssi**zou dji **lén**tchiss dji kon**ta**tou*

Je ne vois pas bien...

Não enxergo direito...

nain-on énchérgou diréïtou

À la pharmacie

Dans les grandes villes, les phramacies sont ouvertes 24 h sur 24.

Pourriez-vous me donner quelque chose pour... ?

Você pode me dar algo para...?

vossé pòdji mi dar aougou para...

l'estomac	**o estômago**	*ou ésstomagou*
la diarrhée	**diarréia**	*diaRèïa*
la douleur	**dor**	*dor*
la fièvre	**febre**	*fèbri*
la gorge	**a garganta**	*a gargain-ta*
la toux	**tosse**	*tòssi*
le rhume	**resfriado**	*réssfriadou*
les brûlures	**queimaduras**	*kéïmadourass*

Je voudrais...	**Eu preciso de...**	*éou préssizou dji...*
de l'aspirine.	**aspirina.**	*asspirina*
de la crème solaire.	**protetor solar.**	*protétor ssolar*
des pansements.	**curativos.**	*kourativouss*
des préservatifs.	**preservativos/ camisinhas.**	*prézérvativouss/ kain-mizignass*
du coton.	**algodão.**	*aougodain-on*
un antiseptique.	**antiséptico.**	*aintissèptikou*

Football et Coupe du Monde 

Le football, **futebol** *[foutébòou]*, a été introduit au Brésil à la fin du XIXᵉ siècle, quand un joueur est rentré d'Angleterre avec un ballon dans ses bagages. Depuis lors, ce sport a conquis une large partie de la population, jusqu'à donner au Brésil son surnom de "pays du football".

La Coupe du Monde de 2014 est la deuxième hébergée sur le sol brésilien. La première remonte à 1950 et avait vu le sacre de l'Uruguay lors d'une finale épique contre… le Brésil ! À l'époque, après une période d'interruption de quelques années due à la guerre, la FIFA souhaitait relancer la compétition et recherchait pour cela un site éloigné du continent européen dévasté. Le Brésil avait alors été choisi et le stade du Maracanã *[marakain-nain]*, avait été construit pour l'occasion avec une capacité de 200 000 spectateurs, ce qui a fait de lui pendant des années le plus grand stade du monde ! À l'occasion de la finale malheureuse pour le pays organisateur, le stade était d'ailleurs quasiment rempli (174 000 personnes). Il paraît que les Brésiliens avaient promis de peindre la façade aux couleurs de l'équipe championne. Et en effet, à la fin de la compétition, le bâtiment a été peint en bleu et blanc en hommage à l'Uruguay. Cependant, les **cariocas** (habitants de Rio de Janeiro) défendent une autre version : les couleurs seraient celles du drapeau de l'État de Rio de Janeiro, qui sont aussi le bleu et le blanc…

Au Brésil, le foot est LE sport populaire par excellence. D'une part parce qu'il ne demande pas beaucoup de contraintes : un ballon, un terrain plat et une paire de tongs pour délimiter la cage sont déjà suffisants aux Brésiliens pour organiser *un petit match improvisé*, **uma pelada** [ouma pé**la**da]. D'autre part parce que, même si on ne joue pas au foot, on peut être supporter d'une équipe et cela a presque le même "poids". Les supporters brésiliens vibrent devant les matchs, ils crient et haranguent les joueurs en se prenant pour l'entraîneur... et cela, même s'ils sont confortablement installés devant leur télévision. Tout bon supporter au Brésil peut faire des kilomètres et des kilomètres de route afin de voir LE match contre l'équipe rivale, il vit toujours la finale d'un championnat comme si elle était unique et il ne manquera jamais de sortir dans les rues pour fêter la victoire de son équipe. Il paraît même que l'économie brésilienne croît quand une des grandes équipes gagne...

Dans ces moments où la fièvre footballistique s'empare de tout un chacun, les différences sociales et économiques si présentes dans le quotidien des Brésiliens, s'effacent : tous sont là pour le même objectif et avec la même passion. Et bien entendu, l'engouement collectif atteint des sommets quand entre en scène la **Seleção Brasileira** [ssélé**ssain-on** brazil**éï**ra], *l'équipe nationale*, qui est la seule à avoir participé à toutes les Coupes du Monde et à en avoir gagné cinq. Quand il s'agit de supporter la Seleção, les gradins ne sont plus qu'un déluge de jaune, de vert et de bleu tandis que la foule crie comme un seule homme : **Pentacampeão !** qui signifie "penta-champions" afin d'intimider les adversaires.

Quant aux joueurs, les figures emblématiques du passé et du présent ont une réputation internationale. Très souvent, ces grands joueurs ont fait ou font carrière hors du Brésil avant d'y retourner, mais le Brésil est sans doute une des plus grandes écoles de foot pour ceux qui aspirent à devenir champions. De nombreux petits centres de formation ont été créés par d'anciens joueurs (Rai et Leonardo parmi d'autres) et permettent ainsi de renouveler les équipes locales et la sélection nationale. Une grande partie de ces écoles travaillent auprès des populations défavorisées en transmettant aux jeunes une passion qui permet aussi de les éloigner de la délinquance. La carrière d'un jeune champion se joue souvent lors de matchs entre petites équipes : il y a toujours quelqu'un pour observer et recruter les talents de demain.

Si vous êtes amené à parler foot avec un(e) Brésilien(ne), certains grands champions nationaux s'imposeront inévitablement dans la conversation. Pour vous éviter d'écorcher le nom de ces grandes figures, en voilà une petite liste, pour ne retenir que ceux-là :

Euler	*éoulér*
Garrincha	*ga**R**ïncha*
Jairzinho	*jair**z**ignou*
Kaká	*ka**kà***
Pelé	*pé**lè***
Raí	*raì*
Ronaldinho	*ronaou**di**gnou*
Ronaldinho Gaúcho	*ronaou**di**gnou ga**ou**chou*
Sócrates	*ssòkratchiss*
Tostão	*tosst**ain-on***

Pour en connaître un peu plus sur l'histoire du football, visitez les musées du foot à Rio de Janeiro (hébergé dans le stade Maracanã, "le temple du football", aujourd'hui encore l'un des plus grands stades de football au Monde même si sa capacité s'est réduite à un peu plus de 76 000 spectateurs depuis sa rénovation) ou à São Paulo (dans le stade Paulo Machado de Carvalho). Mais si vous préférez vivre l'histoire du foot au présent, rendez-vous lors d'un match important !

Les stades et villes qui accueillent la Coupe du Monde 2014 :

Estádio Mineirão–Belo Horizonte (62 000 pl.)	*ésstàdiou minéï**rain-on** **bè**lou ori**zon**tchi*
Estádio Nacional–Brasília (70 000 pl.)	*ésstàdiou nassio**na**ou bra**zi**lia*
Arena Pantanal–Cuiaba (42 000 pl.)	*ar**é**na painta**na**ou kouïa**bà***
Arena da Baixada–Curitiba (41 000 pl.)	*ar**é**na da baï**cha**da kouri**ti**ba*
Estádio Castelão–Fortaleza (64 000 pl.)	*ésstàdiou kasté**lain-on** fortal**é**za*
Arena Amazônia–Manaus (42 000 pl.)	*ar**é**na amaz**o**nia main-**na**ouss*
Estádio das Dunas–Natal (42 000 pl.)	*ésstàdiou dass **dou**nass na**ta**ou*
Estádio Beira-Rio–Porto Alegre (48 000 pl.)	*ésstàdiou **béï**ra riou **por**tou a**lè**gri*
Arena Pernambuco–Recife (44 000 pl.)	*ar**é**na pérnain**bou**kou ré**ssi**fi*
Arena Fonte Nova–Salvador (48 000 pl.)	*ar**é**na **fon**tchi **nò**va ssaouva**dor***
Arena de São Paulo–São Paulo (65 000 pl.)	*ar**é**na dji **sain-on** pa**ou**lou **sain-on** p**a**oulou*
Estádio do Maracanã–Rio de Janeiro (76 000 pl.)	*ésstàdiou dou marakain-**nain** **ri**ou dji jan**éï**rou*

↗ **Pour se rendre au stade :**

Comment dois-je faire pour aller au stade ?
Como eu faço para ir ao estádio?
*ko*mou *éou* **fa**ssou **pa**ra *ir aou* éss**tà**diou

Vous pouvez me montrer sur la carte ?
Você pode me mostrar no mapa?
*vo***ssé pò**dji *mi* moss**trar** *nou* **ma**pa

Pour aller au stade, c'est quelle ligne de bus / de métro ?
Para ir ao estádio devo pegar qual ônibus/metrô?
para *ir aou* éss**tà**diou **dé**vou pé**gar kou**aou **o**nibouss/mé**tro**

Il faut prendre le bus 464 – Maracanã – Leblon et descendre au terminus.
Você deve pegar o ônibus 464-Maracanã-Leblon e descer no ponto final.
*vo***ssé dè**vi *pé***gar** *ou* **o**nibouss *kouatrou*ss**én**touss *i* ss**é**ss**én**ta
i **koua**trou *marakain-***nain**-léblon *i dé***ssér** *nou* **pon**tou *fi***naou**

Le mieux, c'est de prendre la ligne 2 du métro jusqu'à la station Maracanã.
O melhor é pegar a linha dois do metrô até a estação Maracanã.
*ou mé***liòr** *è pé***gar** *a ligna doïss dou* mé**tro** *a*tè *a* éssta**ssain-on**
*marakain-***nain**

On y va ensemble ?
Vamos juntos?
vainmouss **joun**touss

↗ **Dans la ville :**

Est-ce qu'on peut encore acheter des billets ?
Ainda podemos comprar ingresso?
aïnda podémouss komprar ïngrèssou

Tu sais où je peux trouver des billets ?
Você sabe onde posso encontrar ingresso?
vossé ssabi ondji pòssou énkontrar ïngrèssou

Je supporte l'équipe de France/d'Espagne/d'Italie/des Pays-Bas. Et toi ?
Eu torço para a França/Espanha/Itália/Holanda. E você?
éou torssou para a frainssa/ésspagna/itàlia/olainda. i vossé

Je voudrais acheter...	Eu gostaria de comprar...	éou gosstaria dji komprar...
une corne de brume	uma corneta	ouma kornéta
un drapeau	uma bandeira	ouma baindéïra
une casquette	um boné	oun bonè
une écharpe	um cachecol	oun kachékòou
un maillot de bain	um maiô	oun maïo
un tee-shirt / un maillot	uma camiseta	ouma kamizéta
une palette de maquillage	um estojo de maquiagem	oun ésstojou dji makiagén
aux couleurs de l'équipe du Brésil.	com as cores da seleção brasileira	kon ass koréss da sséléssain-on braziléïra

↗ **Au stade :**

Par où on entre ?
Por onde a gente entra?
por ondji a géntchi éntra

Il faut faire la queue ici ?
Tem que pegar fila?
tén ké pégar fila

Ouvrez votre sac, s'il vous plaît.

Abra sua bolsa, por favor.

*a*bra ssoua **bo**oussa por fa**vor**

Vos billets, s'il vous plaît.

Os ingressos, por favor.

*ouss ï***ngr***èssouss por fa***vor**

Quel est la porte d'entrée pour le gradin A ?

Qual é o portão de entrada para a arquibancada A?

kouaou è ou por**tain-on** *dji é***ntra***da* **para** *a arkibain***ka***da a*

Où se trouvent les tribunes officielles ?

Onde ficam os camarotes?

ondji fi**kain-on** *ouss kama***rò***tchiss*

Où se trouvent les toilettes ?

Onde ficam os banheiros?

ondji fi**kain-on** *ouss ba***gnéï***rouss*

Où est-ce que je peux acheter quelque chose à boire/à manger ?

Onde posso comprar algo para beber/comer?

ondji **pò**ssou kon**prar** *aou***gou** *para bé***bér***/ko***mér**

⤢ Vocabulaire footballistique :

Coupe du Monde	Copa do Mundo	***kò***pa dou **moun**dou
l'équipe	o time	*ou **ti**mi*
le stade	o estádio	*ou éss**tà**diou*
le joueur de foot	o jogador de futebol	*ou joga**dor** dji fouté**bò**ou*
faire une passe	fazer um passe	*fa**zér** oun **pa**ssi*

faire une tête	dar uma cabeçada	dar ouma kabéssada
tirer un penalty / un coup franc	bater um pênalti/ um tiro direto	batér oun pénaoutchi / oun tirou dirètou
tacler	dar um carrinho	dar oun ka**Rig**nou
faire une faute	fazer uma falta	fa**zér** ouma **faou**ta
être hors-jeu	estar impedido	**éss**tar in**pé**didou
marquer un but	marcar um gol	mar**kar** oun **go**ou
un attaquant	um atacante	oun ata**kain**tchi
un défenseur	um zagueiro	oun za**gué**ïrou
un milieu de terrain	um meio de campo	oun méïou dji **kain**pou
un remplaçant	um reserva	oun ré**zér**va
le gardien de but	o goleiro	ou go**lé**ïrou
l'entraîneur	o técnico	ou **tè**knikou
l'arbitre	o árbitro	ou **àr**bitrou
la surface de réparation	a grande área	a **grain**dji **à**réa
le banc de touche	o banco de reservas	ou **bain**kou dji ré**zér**vass
les gradins	as arquibancadas	ass arkibain**ka**dass
les huitièmes, les quarts de finale	as oitavas de final, as quartas de final	ass oï**ta**vass dji fi**na**ou, ass **koua**rtass dji fi**na**ou
la demie-finale	a semifinal	a ssémifi**na**ou
la finale	a final	a fi**na**ou
faire une hola	fazer uma hola	fa**zér** ouma **o**la
la mi-temps	o intervalo	ou ïnté**r**valou
le coup de sifflet final	o apito final	ou a**pi**tou fi**na**ou
un carton jaune/rouge	um cartão amarelo/vermelho	oun kar**tain**-on ama**rè**lou/vér**mé**liou
la victoire	a vitória	a vi**tò**ria
la défaite	a derrota	a dé**Rò**ta
le match nul	o empate	ou énp**à**tchi
le classement	a classificação	a klassifika**ssain-on**

↗ **Sympathiser :**

Ce soir, le match est retransmis sur écran géant sur la plage, on va le voir ensemble ?

Esta noite o jogo vai passar numa tela gigante na praia, vamos ver juntos?

éssta noïtchi ou jogou vaï passar nouma tèla gigaintchi na praïa, vainmouss vér jountouss

Après le match, on va boire une bière ?

Depois do jogo vamos beber uma cerveja?

dépoïss dou jogou vainmouss bébér ouma ssérvéja

Un se retrouve où ?

A gente se encontra onde?

a géntchi ssi énkontra ondji

On s'appelle ? Mon numéro est le...

A gente se telefona? Meu número é...

a géntchi ssi téléfona ? méou noumérou è...

On a gagné ! On va fêter ça autour d'un verre ?

Ganhamos! Vamos comemorar bebendo algo?

gagnamouss ! vainmouss komémorar bébéndou aougou

↗ **Paroles de supporters :**

Bonne chance !

Boa sorte!

booua ssòrtchi

Bravo, vous avez été très bons !
Muito bem, vocês jogaram muito!
*mou***ï**tou bén vo**sséïss** jogarain **mou**ï**tou*

Qui va-t-on affronter au prochain tour ?
A gente joga contra quem na próxima rodada?
*a **gén**tchi **jò**ga **kon**tra kén na **prò**ssima roda*da*

On est qualifié !!
Estamos classificados!!
*éss***tain**mouss klassifi**ka**douss*

On passera au goal-average.
Vamos para o saldo de gols.
***vain**mouss **pa**ra ou **ssaou**dou dji **go**ouss*

On a fini premier/dernier de la poule.
Terminamos em primeiro/em último do grupo.
*térmi***nain**mouss én pri**méï**rou/én **ou**outimou dou **grou**pou*

C'est le match pour la troisième place.
É o jogo que disputa o terceiro lugar.
*è ou **jo**gou ké diss**pou**ta ou tér**sséï**rou lou**gar***

C'est le meilleur attaquant/défenseur de la coupe.
É o melhor atacante/zagueiro da copa.
*è ou mé**liòr** ata**kaint**chi/za**guéï**rou da **kò**pa*

Ton joueur, là, il a les pieds carrés !
Teu jogador não é bom de bola!
***té**ou joga**dor nain-on** è bon dji **bò**la*
ton joueur non est bon de ballon

Il fait honte au maillot !

Ele envergonha o time!

éli énvérgogna ou timi

À mon avis, l'arbitre est vendu.

Acho que o árbitro foi comprado.

achou ké ou àrbitrou foï konpradou

Il l'a bien enrhumé !

Ele deixou o outro no chinelo!

éli déïchoou ou ooutrou nou chinèlou

il a laissé l'autre dans tong

↗ Petit lexique du supporter brésilien…

Si vous voulez parler comme un vrai supporter brésilien, lisez ces quelques mots et expressions :

BANHEIRA *[bagnèïra]* – littéralement "baignoire", est le nom donné à un joueur qui ne fait rien, qui attend ou qui est toujours hors-jeu.

BOLA *[bòla]* – littéralement "ballon", mais avec une connotation péjorative, c'est l'argent (supposé ou réel !) offert à l'arbitre pour siffler à la faveur d'une équipe.

CAI-CAI *[kaï-kaï]* – littéralement "tombe-tombe", se dit pour un joueur qui tombe tout le temps en simulant une faute.

CARRINHO *[kaRignou]* – littéralement "une petite voiture", veut dire tacler.

CARTOLA *[kartòla]* – c'est le dirigeant du club.

CAVALO *[kavalou]* – littéralement "un cheval", désigne un joueur violent.

CBD [ssébédé] – joueur qui ne joue jamais : il cire le banc de touche et pour cela on dit qu'il **Come, Bebe e Dorme**, *mange, boit et dort* !

CHAVECAR [chavé**kar**] – croire que l'adversaire ne vaut rien.

CHUTE BELFORT [**chou**tchi béou**fòr**] – littéralement "frappe Belfort" (du nom du joueur qui en fut le premier auteur) : s'emploie quand le joueur saute pour frapper le ballon qui arrive à mi-hauteur.

CHUTE DE BICICLETA [**chou**tchi dji bissi**klè**ta] – littéralement "frappe de vélo" : se dit quand un joueur, en position horizontale (dos tourné vers le sol) frappe le ballon avec les deux pieds en l'air (une retournée acrobatique).

CHUTE DE BICO [**chou**tchi dji **bi**kou] – littéralement "frappe de bec" : désigne une frappe faite avec la pointe du pied.

CHUTE DE CANHÃO [**chou**tchi dji kaing**nain-on**] – littéralement "coup de canon" : une frappe faite avec beaucoup de force.

CHUTE DE TRIVELA [**chou**tchi dji tri**vè**la] – c'est une frappe avec effet, faite avec le côté interne ou externe du pied.

DAR O SANGUE [dar ou **ssain**-gui] – littéralement "donner le sang", cela veut dire que le joueur donne tout pour son club.

DAR UM OLÉ [dar oun o**lè**] – faire un super dribble.

DOMINGADA [domïn**gà**da] – se dit quand un joueur échoue sur une frappe qui était facile.

DRIBLE DE CHALEIRA [**dri**bli dji cha**lé**ïra] – littéralement "un drible de bouilloire" : c'est quand le joueur croise les jambes et frappe le ballon avec les pieds inversés.

DRIBLE DE VACA *[dribli dji vaka]* – littéralement "dribble de vache": un grand pont.

FAZER FIRULA *[fazér firoula]* – littéralement "faire semblant": prendre une attitude afin d'impressionner le public.

FIGURA *[figoura]* – un joueur important pour l'équipe.

FINTA *[finta]* – synonyme de *dribble*.

(TOMAR) UM FRANGO *[tomar oun fraingou]* – littéralement "prendre un poulet", cela concerne le gardien qui laisse passer une frappe facile.

FRANGUEIRO *[frainguéïrou]* – le gardien est dit "frangueiro", quand il a "pris un poulet" (**tomou um frango**).

GALERA *[galèra]* – un ensemble de supporters.

GOL DO MEIO DA RUA *[goou dou méïou da roua]* – littéralement "but du milieu de la rue": un but qui a été tiré de très loin.

GOL DE PEIXINHO *[goou dji péïchignou]* – littéralement "but de poisson": quand le ballon arrive très bas et que le joueur plonge pour le frapper de la tête.

GOL OLÍMPICO *[goou olinpikou]* – but marqué sur un tir de corner. Littéralement "But Olympique" car le premier but marqué de cette façon remonte aux Jeux Olympiques de 1924.

JAPONÊS *[japonéss]* – littéralement "un Japonais", c'est-à-dire… un mauvais joueur.

MÃO FURADA *[main-on fourada]* – littéralement "main trouée": qualificatif s'appliquant à un gardien qui ne parvient pas à arrêter les frappes adverses.

PÉ MURCHO [pè *mour*chou] – joueur qui a une frappe de très faible vitesse.

PÉ TORTO [pè *tortou*] – littéralement "pied tordu" : désigne un joueur qui n'arrive pas à finaliser une passe.

PERNETA [*pérnéta*] – mauvais joueur.

PIMBA NA GORDUCHINHA [*pïn*ba na gordou*chi*gna] – littéralement "tirer sur la petite grosse" veut dire que le joueur a bien frappé le ballon. La "petite grosse"... c'est le ballon !

UMA MARIA CHUTEIRA [ouma maria chouté*ïra*] – supportrice plus intéressée par le physique des joueurs que par le jeu lui-même.

UM MARTA ROCHA [oun *mar*ta rò*cha*] – joueur au physique agréable (Marta Rocha a été une Miss Brésil).

VOLEIO [vol*éïou*] – presque un **gol de bicicleta**, mais le joueur est de côté et non dos au sol.

Et pour finir, quelques expressions curieuses décryptées :

GOL DE PLACA [*go*ou dji *pla*ka] – littéralement "un but de plaque" : l'expression est née en 1961 pendant un match entre l'équipe du Santos (de la ville de Santos) et le Fluminense (de la ville de Rio de Janeiro) qui a eu lieu au Maracanã. Pendant le match, Pelé a marqué un but tellement exceptionnel qu'un journaliste a commandé une plaque pour rendre hommage à cet exploit. L'expression est depuis employée à la faveur d'un très beau but.

TORCEDOR [torssé*dor*] – littéralement "celui qui essore" : il paraît qu'un ancien chroniqueur du début du XXᵉ siècle faisait ainsi référence aux demoiselles qui venaient pour voir les matchs de l'équipe du Fluminense. Celles-ci "essoraient" leurs gants : elles se frottaient les mains d'anxiété. Depuis, le mot a été utilisé pour tous ceux qui supportent une équipe avec ferveur.

ZAGUEIRO *[zaguéïrou]* – issu du mot espagnol *zaga*, il réfère à ceux qui sont en dernière position dans une troupe militaire. En portugais, ce mot est utilisé uniquement pour le foot et désigne les joueurs de la défense.

Enfin, dans l'ambiance survoltée du stade, voilà quelques phrases que vous pourriez entendre du côté des supporters de la Seleção :

SAI DO CAMPO JAPONÊS!

OUUUH… ELE VAI TOMAR UM FRANGO!

ESSE AÍ É UM MARTA ROCHA!

SAI DA BANHEIRA, ESPÉCIE DE CAI-CAI!

VAI, VAI! PIMBA NA GORDUCHINHA!

AI, QUE PERNETA!

- Hé, retourne chauffer le banc, toi ! - Ohlàlà, ce gardien est une vraie passoire ! - Lui, c'est mon chouchou. - Arrête un peu de planter la tente et de jouer les danseuses ! - Vas-y, envole un boulet de canon ! - C'est pas possible, il a les pieds carrés celui-là, ou quoi ?

Rejoignez la communauté
des assimilistes sur Facebook

www.facebook.com/editions.assimil

- → actualités,
- → exclusivités,
- → concours,
- → histoire de la marque,
- → nouveautés,
- → extraits audio...

et sur les autres réseaux sociaux :

vimeo.com/assimil

soundcloud.com/assimil

twitter.com/EditionsAssimil

www.youtube.com/user/MethodeASSIMIL

Restez en contact avec la Newsletter Assimil
www.assimil.com

Index thématique

Achevé d'imprimer en décembre 2015
Imprimé en Chine